Beck'sche Reihe

BsR 1253

BsR

Das lange vergriffene Erinnerungsbuch Saul Friedländers, eines der eindrucksvollsten über das von den Nationalsozialisten besetzte Europa überhaupt, wird hier neu vorgelegt. Der Autor, 1932 in Prag als Kind deutschsprachiger Juden geboren, berichtet, wie die Familie nach dem Einmarsch der Deutschen nach Frankreich flüchtete, und – als das Leben dort immer bedrohlicher wurde – wie er unter falschem Namen in ein katholisches Internat gebracht wurde. Seine Eltern kamen um, er selbst wurde gerettet – als vermeintlicher Katholik. Doch dann, als er sich in Paris auf das Abitur vorbereitet, holt ihn die Vergangenheit ein. In einem langwierigen Prozeß wendet er sich dem Judentum zu. 1948 wandert er nach Israel aus.

Saul Friedländer ist heute Professor für Geschichte an der Universität Tel Aviv und an der University of California, Los Angeles. Im Verlag C.H.Beck erscheint 1998 „Das Dritte Reich und die Juden. Die Jahre der Verfolgung 1933–1939".

SAUL FRIEDLÄNDER

Wenn die Erinnerung kommt

Aus dem Französischen von Helgard Oestreich

VERLAG C.H.BECK

Titel der französischen Originalausgabe:
Quand vient le souvenir ...

Die deutsche Ausgabe erschien zuerst 1979
in der Deutschen Verlags-Anstalt GmbH, Stuttgart

Die Deutsche Bibliothek – CIP-Einheitsaufnahme

Friedländeer, Saul:
Wenn die Erinnerung kommt ... / Saul Friedländer. Aus dem Franz. von Helgard Oestreich. – 2. Aufl. – München : Beck, 1998
(Beck'sche Reihe; 1253)
Einheitssacht.: Quand vient le souvenir ... <dt.>
ISBN 3 406 42053 2

ISBN 3 406 42053 2

2. Auflage. 1998
Umschlagentwurf: Uwe Göbel, München
Umschlagabbildung: Foto aus dem Besitz des Autors
Für die deutsche Ausgabe:

Satz: Brönner & Daentler KG, Eichstätt
Druck und Bindung: C.H.Beck'sche Buchdruckerei, Nördlingen
Gedruckt auf säurefreiem, alterungsbeständigem Papier
(hergestellt aus chlorfrei gebleichtem Zellstoff)
Printed in Germany

»Allmählich, wenn das Wissen kommt,
kommt auch die Erinnerung.
Wissen und Erinnerung sind dasselbe . . .«

Gustav Meyrink

Für Eli, David und Michal
und für Hagith, die immer verstanden hat

Erster Teil

1

Ich wurde zum denkbar schlechtesten Zeitpunkt – vier Monate vor Hitlers Machtergreifung – in Prag geboren. Mein Vater war gebürtiger Prager, meine Mutter stammte aus den Sudeten, aus der kleinen Textilstadt Rochlitz bei Gablonz, das für seine Glasindustrie berühmt war. Hier in Rochlitz hatte Gustav Glaser, mein Großvater mütterlicherseits, eine Fabrik gegründet und war dank einer ganz simplen Idee bald zu beträchtlichem Wohlstand gekommen.

Eigentlich war mein Großvater Lehrer gewesen – eine höchst ungewöhnliche Berufswahl für einen Juden aus den Sudeten, doch liegt hier indirekt die Ursache seines späteren Erfolgs begründet. Er hatte nämlich bemerkt, in welch erbärmlichen Verhältnissen die Handarbeitslehrerinnen der österreichisch-ungarischen Volksschule lebten, da diese sämtliche Stoffe, die für den Unterricht erforderlich waren, aus eigener Tasche zahlen mußten. Sobald die Fabrik stand, wandte sich mein Großvater an einige Lehrerinnen in Rochlitz, Gablonz und Umgebung: Er würde ihnen kostenlos die notwendigen Stoffe liefern, als Gegenleistung sollten sie sozusagen inoffiziell die neue Firma vertreten. Der Erfolg ließ nicht lange auf sich warten. Binnen weniger Jahre waren fast alle Handarbeitslehrerinnen der österreichisch-ungarischen Monarchie zu Repräsentantinnen der Gustav-Glaser-Textilindustrie geworden: Von den Karpaten bis zur Etsch, überall waren Tischtücher und Servietten mit den Initialen G. G. verbreitet.

Diese Anekdote erläutert eine gewisse jüdische Findigkeit, die bekanntlich immer wieder starke Haßgefühle ausgelöst hat. Sicher waren nicht alle Juden so ehrenhaft und so erfinderisch wie mein Großvater, doch verkörpert er zweifellos einen bestimmten Typ des jüdischen Kleinindustriellen zu Beginn des Jahrhunderts. Allerdings kann man sich fragen, ob es zum Wohle aller nicht besser gewesen wäre, wenn er und seinesgleichen weniger Einfallsgabe besessen hätten.

Dieser speziell jüdische Erfindungsgeist änderte trotzdem nichts an der Tatsache, daß sich alle bei uns als Deutsche fühlten. Ein Beispiel für dieses »Deutschtum«. In unseren Kreisen blieb es keinem Kind erspart, Klavier spielen zu lernen. Das erste Lied, das ich lernen mußte, das einzige übrigens, an das ich mich überhaupt noch erinnere, war *Ich hatt' einen Kameraden,* jener berühmte Trauermarsch der deutschen Armee, der während des Dritten Reichs bei allen großen Zeremonien gespielt wurde. Ich habe in der letzten Zeit oft daran denken müssen, und ich kann jetzt vielleicht verstehen, warum dieses Lied bei uns so beliebt war.

Mein Vater wie auch mein Onkel mütterlicherseits haben nämlich beide während des Ersten Weltkriegs als Artillerieoffiziere in der österreichisch-ungarischen Armee gedient. So lernten sie sich kennen, so ist mein Vater meiner Mutter Elli Glaser begegnet. Möglicherweise war also *Ich hatt' einen Kameraden* für meinen Vater, meinen Onkel und für zigtausend andere jüdische Soldaten der deutschen und der österreichischen Armee vor allem Ausdruck einer Waffenbrüderschaft, von der sie sich (noch) nicht lösen konnten. Und dann – so seltsam das auch klingen mag – geht von den deutschen Militärliedern, diesem ungeheuerlichen Kitsch, eine Art Verzauberung aus: Entstanden aus der Liebe einer Gruppe zur Musik, beeinflussen sie das Verhalten in einer Art und Weise, über die noch viel zu sagen bleibt.

In der Rückerinnerung ist mir in diesen ersten Lebensjahren meine Mutter viel weniger gegenwärtig als mein Vater. Von Anfang an erschien mir mein Vater als eine ganz außergewöhnliche Persönlichkeit, was sicher an der kindlichen Perspektive lag und wohl auch an der distanzierten Haltung, die er uns allen gegenüber einnahm. Die grundlegende Veränderung, die bald darauf unser Leben erschütterte, tat diesem Bild der ersten Jahre keinen Abbruch. Und wenn ich an meinen Vater denke, so sehe ich stets jene zurückhaltende Figur meiner ersten Kindheitsjahre vor mir.

Mein Vater wurde zwar in Prag geboren, verbrachte jedoch mehrere Jahre bei einem Onkel in Lemberg, in Galizien. Dort machte er auch das Abitur. Ich nehme an, daß er dort – wenn auch nur für kurze Zeit – ein noch völlig intaktes orthodoxes jüdisches Milieu kennengelernt hat; aber offenbar hat es bei ihm keine Spuren hinterlassen.

Wieder in Prag, schwankte er zunächst zwischen der juristischen Fakultät und dem Konservatorium; denn er spielte ausgezeichnet Klavier. Ich sehe ihn noch vor mir, wie er über den Flügel gebeugt ein Wagner-Motiv oder ein Stück von Chopin spielte, Chopin, dessen Name auf dem Exlibris graviert war, das in allen Büchern der Bibliothek zu finden war. Mein Vater hatte wohl zwei Leidenschaften: Musik und Bücher. Trotzdem entschied er sich schließlich für die Jurisprudenz, das Versicherungswesen, und wurde später Vizepräsident einer großen deutschen Versicherungsgesellschaft in der Tschechoslowakei. Er, der Ästhet und Vertreter des Großbürgertums, lebte am Rande eines Vulkans, ahnungslos.

Hinter seiner reservierten Art verbarg mein Vater zweifellos eine extreme Schüchternheit. Auf jeden Fall verstand er es absolut nicht, sich mir, dem Kind, zu nähern. An meinem fünften Geburtstag soll er in ein Spielwarengeschäft gegangen sein und zehn Kilo Spielzeug für einen Fünfjährigen verlangt haben... Ehe wir Prag verließen, ist es – soweit ich mich erinnere – nie zum Austausch von

Zärtlichkeiten zwischen uns gekommen. In den folgenden Jahren änderte sich dies zwar, doch wird es mir ewig leid tun, daß ich als Kind nicht genügend Spontaneität und Unbekümmertheit besaß, um einfach auf seine Knie zu klettern und ihm die Arme um den Hals zu legen.

Ich frage mich vor allem eins: Was bedeutete es für meinen Vater, Jude zu sein? Einiges weist darauf hin, daß ihm seine jüdische Herkunft nicht ganz gleichgültig war. Ich habe schon das Exlibris erwähnt, jene Vignette, die sich in allen seinen Büchern fand. Auf einem Judenstern als Hintergrund waren ein Klavier, eine Partitur von Chopin und ein Winkelmaß eingraviert. Deutlicher läßt es sich wohl kaum noch ausdrücken, und doch war bei uns zu Hause, soweit ich mich erinnern kann, vom Judentum als Religion nichts mehr zu spüren.

Wir befolgten keine der orthodoxen jüdischen Lebensregeln, feierten keines der religiösen Feste, pflegten keine der alten Sitten und Gebräuche. Ich erinnere mich, mit Vlasta, meiner tschechischen Gouvernante, viele Kirchen in Prag besucht zu haben, doch erinnere ich mich nicht im geringsten an die Altneuschul, die berühmte Synagoge, wohl die älteste Europas, die doch ganz nah bei unserem Haus lag; ich erinnere mich auch nicht an das jüdische Rathaus und die Uhr mit den hebräischen Buchstaben, deren Zeiger in umgekehrter Richtung kreisen (erst sehr viel später habe ich dies alles gelesen), oder an den jüdischen Friedhof, der ebenso alt und berühmt ist wie die Synagoge. Nichts von alledem. Oder doch fast nichts, denn einige jiddische Wörter wie *meschugge* und *nebbich* waren bei uns durchaus üblich. Kurz, wir waren typische Vertreter des assimilierten jüdischen Bürgertums Mitteleuropas.

Ich habe fast nichts von diesem Judentum, wie ich es damals kannte, in Israel wiedergefunden. Ich sage »fast« nichts, denn nach meiner Ankunft lebte ich eine Zeitlang bei meinem Onkel in Nira, einem kleinen Ort in der Sharon-

Ebene, wo damals noch ein wenig von dieser Atmosphäre zu spüren war. Auf diese Ankunft in Israel im Alter von fünfzehn Jahren, einige Wochen nach der Gründung des Staates Israel, werde ich noch zu sprechen kommen. Also, mein Onkel nahm mich auf, und ich lernte ein Milieu kennen, das mir schon damals höchst seltsam vorkam.

Die Mehrzahl der Einwohner von Nira oder von Beit Itzhak sowie der umliegenden Ortschaften war kurz vor dem Krieg aus Prag und einigen großen deutschen Städten nach Israel gekommen. Von dreißig Familien gehörte mindestens die Hälfte zur Kategorie »Herr Doktor«. Tagsüber verwandelten sich alle diese Leute; fast hätte man sich täuschen lassen, doch sie kehrten wohl ein wenig zu sehr den Bauern heraus, benahmen sich gar zu lässig in ihrer Art ... Und dann war da auch noch ein sprachliches Problem: Diese gutturalen Laute, die in jeder anderen Umgebung unverständlich bleiben mußten, das war nicht etwa jüngst erworbener biblischer Gedankenflug, sondern typischer Berliner Jargon – allerdings durchsetzt mit vielen hebräischen Wörtern, die Dinge wie Hühnerstall, Sprengwagen, Traktor oder Apfelsinenpflanzung bezeichneten. Doch nur die »Altgedienten«, mit dem Hebräischen Vertrauten, besaßen dieses Vokabular; die meisten der Einwohner von Nira und Beit Itzhak ähnelten eher unserem guten Herrn Nahap, dem Krämer.

Herr Nahap aus Hannover ... Dickbäuchig und schwerfällig, im Mundwinkel die unvermeidliche, ewig erloschene Zigarre, bewegte er sich würdevoll hinter seinem Ladentisch, vor den Konservendosen Marke »Assis« und den Weckgläsern mit eingemachten Salzgurken: »Shalom, Friedländer«, rief er mir wohlwollend zu, sobald ich die stets auf Hochglanz polierte Schwelle überschritt. Und beide hatten wir das Gefühl, daß wie durch ein Wunder dieses Mal nun wirklich das so ungezwungen zugerufene »Shalom« eine Flut hebräischer Wörter nach sich ziehen würde, die

Herr Nahap seit mehr als fünfzehn Jahren in den Tiefen seines Gehirns gespeichert und rätselhafterweise bisher stets zurückgehalten hatte. Sekundenlang blieb das *Shalom* in der erwartungsvollen Stille hängen, dann aber fiel der Elan des Herrn Nahap in sich zusammen, als habe er sich an einer unsichtbaren inneren Schranke gestoßen, sein frohgemutes Lächeln wurde ängstlich und verzagt, und am Ende jener verheißungsvollen Pause, die doch schon linguistische Überraschungen anzukündigen schien, trat er wie stets den Rückzug an und fuhr entmutigt fort: »Also, wie geht's?«

Erst abends, nach einem langen arbeitsreichen Tag unter der heißen Sonne, nahm die Welt von »gestern« wieder den angestammten Platz ein. Bei ihren Bridgepartien, umgeben von Möbelstücken und Büchern, die noch von »dort« stammten, fanden unsere Bauersleute ihr wahres Gesicht wieder, legten gleichsam ihre Masken ab. Heller, Fleischmann, Prager oder Glaser schienen die Mückenstiche, das monotone Geräusch der Sprengwagen, den Duft der Orangenblüten vergessen zu haben und glaubten sich wohl wieder in ihren großen, ein wenig düsteren Wohnungen, die ich zwar kaum gekannt habe, deren Duft, diesen diskreten Charme, der von den alten Möbeln, dem polierten Holz und abgeschabten Leder ausging, ich aber heute noch ganz genau beschreiben könnte. Heller und Fleischmann waren Vertreter einer aussterbenden Spezies, die es heute kaum noch gibt. Nira und Beit Itzhak existieren zwar immer noch, doch dasselbe ist es nicht mehr.

Das Leben der Juden in Prag war zur Zeit meiner Kindheit vielleicht ein wenig oberflächlich, »entwurzelt« im geschichtlichen Sinn. Doch so lebten wir nun mal, und wir liebten diese Lebensweise. Es wäre absurd, irgend etwas anderes behaupten zu wollen. Der Zusammenbruch kam ganz unerwartet, so seltsam das auch scheinen mag. Doch das ist schon ein ganz anderes Kapitel.

5. Juni 1977

Zehnter Jahrestag des Beginns des Sechstagekriegs. Zeit der Spannung, der Angst und der Begeisterung. Seit damals ist alles anders geworden: allen Widerständen zum Trotz hat die Begeisterung nicht nachgelassen, doch sind da auch zersetzende Käfte am Werk, die unser Land auf einer anderen Ebene aushöhlen. Israel, Land aller Gegensätze und Widersprüche.

Ich habe diese Ereignisse voll Leidenschaft miterlebt. Als ich im Herbst 1967 in Jerusalem zu unterrichten begann, erschien mir alles neu und wunderbar – wie damals vor fast zwanzig Jahren, als ich zum ersten Mal nach Israel kam. Was hat mich in diesem entscheidenden Jahr am stärksten beeindruckt? Vielleicht jene Gruppe junger Studenten, die »Soldaten-Intellektuellen«: junge Menschen voller Wissensdurst, Träger des nationalen Schicksals, die gezeichnet waren von der ständigen Berührung mit dem Tod – so erschienen sie mir, so waren sie wohl auch. Stets sind es junge Menschen dieser Art gewesen, die ihre Zeit geprägt haben: junge Menschen, die gerade vom Schlachtfeld kamen und bald dorthin zurückkehren mußten, die an einen Panzer gelehnt, ein Gedicht, eine Seite Philosophie lasen. Dies ist wohl eines der erschütterndsten, ewig wiederkehrenden Bilder unserer Epoche, geformt von einer Realität, die es genau genommen heute nur noch in Israel gibt.

Wie die Begeisterung beschreiben, die ich empfand, als ich während des Unabhängigkeitskrieges in Israel ankam? Alles kam mir wie ein Wunder vor: die heimische Schokolade ebenso wie der jüdische Staat selbst.

Ich habe schon ein wenig von den Leuten in Nira erzählt, doch sollte ich auch den Ort beschreiben. Der Omnibus aus Natanya setzte seine Fahrgäste vor den ockerfarbenen Mauern einer kleinen Stoffabrik ab, die vor meiner Ankunft Baumwollstoffe gefertigt hatte, nun aber Tarnnetze für unsere junge Armee herstellte.

Alle Häuser in Nira ähnelten sich, und alle sind wohl kurz vor dem Zweiten Weltkrieg gebaut worden: kleine rechteckige Häuser mit weißen Mauern und roten Ziegeldächern, die lebhaft von dem dunklen Grün der Orangenbäume abstachen. Auf den Mauern die im Laufe der Jahreszeiten ständig wechselnden, leuchtenden Farbtupfer der Kletterpflanzen: Glyzinien, Geißblatt und manchmal dichte Rhododendronbüsche am Eingang eines Gartens.

Ich hätte fast die Hühnerställe vergessen. Sie waren ein wichtiger Teil des *Meschek,* was man mit »Bauernhof« übersetzen könnte – freilich moderne Musterbauernhöfe. Wenn ich Hühnerstall sage, denken Sie vielleicht an einen Hühnerhof, in dem die Hühner gemächlich umherspazieren und nach Körnern picken. Nicht so in Nira. Die Hühner wurden in Käfigen gehalten, die man zu geometrischen Einheiten zusammenfaßte und ständig elektrisch beleuchtete. Dies förderte das Eierlegen, führte aber auch dazu, daß wir ständig von einem monotonen Gegacker umgeben waren.

Die Vergnügungen in Nira, Beit Itzhak und den anderen Dörfern der Ebene waren einfach. Abgesehen von den erwähnten Bridgeabenden war es noch der angenehmste Zeitvertreib, sich nach einem langen, sonnenheißen Arbeitstag in das größte Café der Gegend unter dem Wasserturm von Beit Itzhak zu begeben, »Herr Ober« zu rufen, ein Bier zu bestellen und zuzusehen, wie langsam die Dunkelheit hereinbrach und die Lichter von Natanya längs der Dünenkette aufleuchteten.

Jeden Freitagabend gingen wir ins Kino in Shaar Hefer, einem kleinen Nachbarort. Unter zwei Eukalyptusbäumen vor dem Krämerladen waren Bänke aufgestellt. Die Leinwand wurde aufgezogen, Herr Cohen stellte den Projektionsapparat auf, und die Vorstellung begann. Und niemand nahm Anstoß daran, daß ab und zu der Film riß und daß es immer wieder zu Unterbrechungen kam. In diesen heißen Nächten liebte man hier, auf den Bänken vor dem Krämerladen von Shaar Hefer, mindestens ebenso heftig wie in den herzbewegenden Schnulzen, die bei uns ihre Laufzeit beendeten.

Ich blieb zunächst einige Monate in Nira und wurde dann interner Schüler einer landwirtschaftlichen Schule, die in der Nähe von Natanya direkt am Meer lag. Dort lernte ich hebräisch und entdeckte die Grundlagen einer jüdischen Kultur, die mir völlig neu war.

Fast alle Internatsschüler von Ben Shemen kamen in jenem Jahr aus Bulgarien. Sie brachten den ganzen Zauber einer blühenden sephardischen Gemeinschaft mit sich, der im wesentlichen das Schicksal erspart geblieben war, das die Juden in Nordafrika und dem Vorderen Orient erlitten hatten. Fröhlichkeit bestimmte unser tägliches Leben: sie gipfelte abends unter dem funkelnden Sternenhimmel, wenige hundert Meter entfernt von einem sanften Meer, in den endlosen *Horas* und den bulgarischen Liedern, die das Tal der Maritza besingen.

Hebräisch lernen hieß vor allem, die Bibel entdecken. Sehr bald schon war ich von der Bibel fasziniert, und die einfachsten Passagen, die wir lasen, waren oft vielleicht die poetischsten und aussagestärksten. So wurde zum Beispiel für mich, der ich bei meiner Ankunft in Israel meinen Namen Paul in Shaul geändert hatte, die Geschichte des ersten Königs von Israel, die mit soviel gebändigter Kraft im Buch Samuel erzählt wird, zum Inbegriff des Tragischen: Gegen seinen Willen berufen, dann von allen verlassen, sogar von Gott, der ihm nicht mehr antwortet, nimmt Saul am Abend vor der größten Prüfung zur Zauberei Zuflucht, um von der Hexe von Ein Dor sein Schicksal zu erfahren.

Mit der Bibel entdeckten wir auch, wie sich jüdisches Leben zu Beginn des Jahrhunderts in Osteuropa abgespielt hatte. Die kleinen jüdischen Dörfer in Rußland erwachten für uns in den Erzählungen von I. L. Peretz und Shalom Aleichem zu neuem Leben. Vielleicht sind sie literarisch nicht besonders wertvoll, doch strahlen sie den ganzen Zauber und die Wärme einer echten Tradition aus.

Doch muß ich gestehen, von Anfang an fühlte ich unklar und vage, daß mir etwas fehlte: hin und wieder ließ ich mich am Strand hinter einem sandigen Felsen nieder und schlug ein Buch auf, das nur ein Symbol war, gewöhnlich *Dominique* von Fromentin. Ich glaubte so für mich ganz allein den Fortbestand einer Kultur geltend zu machen, der einzigen Kultur, die in meinen Augen wirklich zählte. Dies war ein winziges Vorzeichen künftiger Konflikte, das jedoch völlig durch etwas anderes verdrängt wurde, das zwar ebenfalls harmlos, doch für meinen damaligen Geisteszustand weitaus aufschlußreicher ist: Mittags hatten wir wegen der Hitze zwei oder drei Stunden keinen Unterricht. Jeden Tag nach dem Mittagessen lief ich – es war eher ein Rennen – allein am Strand entlang auf dem kürzesten, aber zugleich auch am stärksten der Sonne ausgesetzten Weg nach Natanya, um dort die Zeitung zu kaufen – die ich kaum verstand – und mich an der Nachricht über irgendein Gefecht, irgendeinen neuen Sieg zu begeistern oder einfach nur zu lesen, was über das Leben des Landes berichtet wurde. Ja, ich war unersättlich, und die simpelste Nachricht erfüllte mich mit Freude: Ein neuer Straßenabschnitt war irgendwo eingeweiht worden, so und so viele Bewässerungsrohre neu verlegt – kurz, Israel lebte (wie es in einem chassidischen Lied heißt), und das Wunder vollzog sich vor meinen Augen, auf diesen Seiten, die ich mit so viel Mühe, aber mit um so mehr Freude entzifferte.

Wann habe ich die ersten Erschütterungen in meiner Umgebung gespürt, wann habe ich gespürt, daß die sichere, friedliche Welt meiner ersten Kindheitsjahre ins Wanken geriet? Ich könnte es nicht genau sagen, denn ich glaube, daß die inneren Erschütterungen, die den »Ereignissen« vorausgingen, später mit diesen zu einem unauflöslichen Ganzen verschmolzen sind. Innere Erschütterungen? Angst, die Angst, allein gelassen zu werden, und verschiedene aufeinanderfolgende Begegnungen mit dem Tode.

Die Furcht, allein gelassen zu werden: Ich könnte nicht erklären, woher diese Furcht eigentlich kam, doch eine Deckerinnerung läßt erkennen, wie tief diese Angst saß. Eine Szene, immer dieselbe, die für mich irgendwie das Wesentliche dieses Zeitabschnitts zusammenfaßt: Ich sehe meinen Vater, wie er im Salon im Licht einer großen Stehlampe liest, im Hintergrund der Bücherschrank, sehe ihn, so wie ich ihn fast jeden Abend betrachtete, wenn keine Gäste da waren und ich mich, von unbezähmbarer Angst ergriffen, in der lautlosen Stille erhob, auf Zehenspitzen den Flur entlangschlich, mein Auge an das Schlüsselloch preßte und mich vergewisserte, daß er noch da war, dort an seinem gewohnten Platz.

Ein fünfjähriges Kind, das gerade mit Vlasta die Karlsbrücke überqueren will und plötzlich ein metallisches Knirschen, Schreie hört und, ehe Vlasta ihm die Hände vor die Augen halten kann, einen Körper sieht, den die Räder der Straßenbahn durchschneiden, begreift, was Tod bedeutet. Von dieser Begebenheit ist mir übrigens etwas Merkwürdiges in Erinnerung geblieben. Nach dem Unfall überquerten wir die Brücke und gingen wie jeden Tag in den Park des Hradschin. Auf dem Heimweg, mindestens zwei oder drei Stunden später, folgten wir derselben Strecke. Ich kann es mir einfach nicht erklären, doch am Ende dieser Brücke sah ich eine kleine Menschenansammlung und dazwischen, nahe dem Geländer, ein unförmiges, von einem Tuch bedecktes Gebilde. Vlasta sagte mir, daß dies der Körper des Verunglückten sei, wie man es auch den Bemerkungen der Gaffer entnehmen konnte ... Unmöglich, nicht wahr? Sicher eine Einbildung, die zeigt, wie sehr dieser Unfall meine Phantasie beschäftigt hat.

Doch ungefähr ein Jahr später drängte sich mir der Tod in nachhaltiger und gewissermaßen schwerwiegenderer Weise auf. Ich war gerade erst eingeschult worden, als der Direktor, den ich am ersten Schultag flüchtig gesehen hatte, plötzlich starb. Wir gingen zur Beerdigung; alles nahm mich sogleich gefangen: die dunklen Kleider, die ernsten Gesichter, die flüsternden Stimmen. Wir betraten einen riesigen Friedhof, schritten an einer Mauer entlang, die mit Marmorplatten bedeckt war, und kamen in einen großen Saal mit Stühlen, der in meiner Erinnerung einem Theater gleicht, vorne eine Art Bühne, auf der der Sarg inmitten vieler Kränze unterschiedlicher Größe stand. Dinge wurden gesagt, die ich kaum verstand, und dann geschah etwas, das den anderen sicher ganz bedeutungslos erschien, mich jedoch zutiefst beeindruckte: Der Sarg glitt auf unsichtbaren Schienen dahin, während auf der Bühne das Licht ausging, der Vorhang herniedersank und im Saal Trauermusik erklang.

Diese merkwürdige Zeremonie allein hätte schon genügt, mich vor Schreck erstarren zu lassen; doch entweder um eine Frage meinerseits zu beantworten oder um mir das Geschehene sachlich zu erläutern, erklärte mir meine Mutter oder Vlasta, daß der Körper des Direktors verbrannt werde. Man sagte mir, daß der Metallsarg in einen Ofen komme, wo er bis zur Weißglut erhitzt werde, so daß die Leiche zu Asche verbrenne. Ob die Erklärung nun richtig war oder nicht, ich hörte auf jeden Fall zum ersten Mal von einem Krematorium und war bestürzt.

Lange noch hat mich die Einäscherung des Direktors in meinen Alpträumen verfolgt. Kindlicher Verstand deutet die Welt auf seine Weise, vor allem, wenn dies Kind überall um sich herum wachsende Angst wahrnimmt, die es jedoch nur schwer zu erklären vermag.

Ich müßte nun ganz selbstverständlich auf die ersten wirklichen Veränderungen in unserem Leben zu sprechen kommen, und doch zögere ich, sträubt sich irgend etwas in mir, diesen Bereich des Friedens zu verlassen, ja wohl auch des Glücks – trotz allem, was ich hier und da angedeutet habe. Alltägliche Bilder tauchen vor mir auf: wieder Rochlitz, die Fenster morgens beim Erwachen mit Eisblumen bedeckt; das Knirschen des Schnees unter den Schuhsohlen; zwei Hunde, der Boxer Ali und Rolf, der Schäferhund; ein Tretauto; Himbeersträucher; und dahinter ein großes Gebäude mit schmalen Fenstern, die – so kommt es mir vor – höher waren als die Fenster der übrigen Häuser. Noch einmal Rochlitz; Berge mit sanften Hängen, mit Tannenwäldern bedeckt und – ein anderes Winterbild – meine Mutter, schlank und schön, die Skier über den Schultern, dreht sich lächelnd um und wendet mir ihr in der Kälte strahlendes Gesicht zu.

Vor allem aber ist es Vlasta, die ich überall wiederfinde. Ich rufe die Erinnerung an Bilder wach; auch von Geräuschen sollte ich sprechen: Sonntag morgens ging ich mit Vlasta zum Schloß, um dort der Militärkapelle zuzuhören, manchmal traten wir anschließend zur Messe in eine Kirche, und ob Feier- oder Wochentag, Vlasta brachte mir Gebete und Lieder bei ... Heute kann ich nur noch zweierlei in Tschechisch aufsagen: ein Gebet an den Schutzengel und ein Lied, *Po starýsh Zameckýsh Schodech ...*

Über die alten Treppen des Schlosses,
über die Treppen, die nach oben führen,
geht jeden Abend ein junges Mädchen.
Sie hält die Hand eines Knaben,
ihr Herz ist aus Marmor ...

Man sollte einmal untersuchen, in welcher Weise all die vielen Vlastas der verschiedenen Nationalitäten die schnelle Assimilierung des jüdischen Bürgertums in Europa beeinflußt haben. Die Vlastas bildeten ganz einfach das wichtigste Bindeglied zwischen dem jüdischen Kind und seiner Umwelt.

Denn wenn auch die Kirchenbesuche und Gebete zum Problem werden konnten, was war einfacher als Mitleid mit jenem Knaben zu empfinden, dessen Freundin ein Herz aus Marmor hatte, der Militärkapelle zuzuhören oder lange in einer der Fleischereien der Altstadt zu verweilen? Ich lernte zwar nie, die verschiedenen Sorten von Innereien auseinanderzuhalten, doch wurde ich es einfach nicht müde, das Gemälde über dem Ladentisch zu betrachten, das eine wilde Schlacht darstellte – die Schlacht am Weißen Berg, glaube ich. Tag für Tag verfolgte ich angstvoll die reglosen Anstrengungen eines Reiters, der unter seinem Pferd lag, neben sich das zerbrochene Schwert, die sterbenden Augen weit aufgerissen, den Mund verzerrt, als wollte er den Kunden, die hier eine Portion Sauerkraut mit Fleisch, rohen Schinken oder kleine gebratene Würstchen kauften, in einem letzten Aufschrei irgendeine schicksalhafte Botschaft mitteilen. Dies – und vieles mehr – war Prag . . .

Ob ich mich nun bewußt daran erinnere oder nicht, ich nahm alle Zeichen dieser Stadt in mir auf; noch die unscheinbarste Barockstadt ruft sofort ein starkes Echo in mir wach, das nur von diesen Kindheitseindrücken herrühren kann. Zusammenhanglose und doch kostbare Bilder: Bilder von hell erleuchteten Straßen und Schaufenstern in der Zeit der weihnachtlichen Feste: Nikolaus, Weihnachten natürlich und Silvester. Jeder kennt die Kristallkugeln und silbernen Girlanden, die so stark glänzen, wenn bei Einbruch der Nacht die Lichter in den Schaufenstern angehen; im Prag jener Zeit, von der ich spreche, leuchteten die Kugeln, Girlanden und Sterne heller als irgendwo sonst, der Weihnachtsbaum, der jedes Jahr vor der Nikolaus-Kirche aufgestellt wurde, war stattlicher als alle anderen Weihnachtsbäume, die irgendwo Europas Plätze schmückten, und die

Wollstrümpfe (denn bei uns waren es Wollstrümpfe und keine Schuhe oder Pantoffeln) waren am Nikolaustag (und nicht zu Weihnachten) mit Geschenken vollgestopft bis oben hin wie nirgendwo sonst!

Prag war vor der Besetzung sicher nicht die heiterste, wohl auch nicht die »kultivierteste«, doch ganz bestimmt die zivilisierteste und liebenswürdigste Stadt Europas. Alle werden das bestätigen. Und wohl auch die geheimnisvollste. Die Sagen lebten hier in ihrem natürlichen Rahmen fort, zu dem Geschichtliches, barocke Architektur, die Altstadtgäßchen ebenso gehören wie der Nebel über der Moldau. So hat die Sage vom Golem, eine Prager Sage, die jedoch jüdischen Ursprungs ist, meine kindliche Phantasie allmählich genährt.

Der Golem war jenes Wesen aus Lehm, das von dem großen Rabbi Loew, dem Maharal, geschaffen und zum Leben erweckt wurde, damit es der Gemeinschaft diene: Er durcheilte die Stadt als Lastenträger verkleidet oder unsichtbar kraft eines Zauberamuletts, um rechtzeitig die von dem Kapuzinermönch Taddeus und seinen Anhängern angezettelten Verschwörungen gegen die Juden aufzudecken. ... Unzählige Geschichten ranken sich um den wunderbaren Rabbiner und seinen phantastischen Diener. Es wird behauptet, daß selbst Kaiser Rudolf, der sich für Magie und das Übernatürliche begeisterte, den großen Kabbalisten in den Hradschin befahl, um sich mit ihm über geheime Dinge zu unterhalten, ohne daß jedoch irgend etwas von dieser Unterhaltung an die Außenwelt gedrungen wäre. Über die Vernichtung des Golem existieren die unterschiedlichsten Versionen. In einigen Sagen heißt es, daß der Golem plötzlich der Kontrolle seines Herrn entglitt und von Tobsucht gepackt durch das Getto irrte, wobei er alles zerstörte, was ihm in den Weg kam. Um ihm Leben einzuflößen, war ihm ein Stück Pergament mit dem Wort *Emeth* – Wahrheit – auf die Stirn geheftet worden. Um den Golem zu zerstören, mußte der erste Buchstabe ausgelöscht werden, so daß nur *meth* – Tod – übrigblieb. Als es dem Rabbi endlich gelang, den ersten Buchstaben auf der Stirn seines wahnsinnigen Dieners zu löschen, soll – so wird in einigen Erzählungen behauptet – die ungeheure Lehmmasse in sich zusammengestürzt sein und den Rabbi mit ihrem Gewicht zermalmt haben ...

Am liebsten ist mir jedoch folgende Version, die einen ganz anderen symbolischen Gehalt hat: Als die Gefahren, die den Prager Juden drohten, vorbei waren, beschloß Rabbi Loew, den Golem zu zerstören. Am Abend des Lamed Gimel (Lag) Beomer-Festes – heute werden in Israel zur Feier dieses Festes Feuer angezündet, die sich von Hügel zu Hügel Ruf und Antwort geben – befahl er dem Golem, sich auf dem Dachboden der alten Synagoge schlafen zu legen. Als es zwei Uhr nachts schlug, stieg der Rabbiner mit einem Diener, der mit zwei Kerzen voranging, seinem Schwiegersohn Isaak und seinem Schüler Jakob auf den Dachboden, wo der Golem in tiefem Schlaf ruhte. Bei der Schaffung des Golem hatten sich der Rabbiner und seine Gehilfen zu Füßen der auf dem Boden ausgestreckten Lehmfigur aufgestellt und magische Formeln aus dem Buch Jetzirah, dem Buch der Schöpfung, aufgesagt. Dieses Mal nun stellten sie sich am Kopfende auf, und die Sätze aus dem Buch Jetzirah wurden in umgekehrter Reihenfolge gelesen. Als das letzte Wort in der Stille verklungen war, zerfiel der Golem wieder zu einem simplen Haufen Ton. Seine Gewänder wurden heimlich verbrannt, und man bedeckte ihn mit alten Gebetbüchern, die auf dem Boden der Synagoge aufgestapelt waren, und Rabbi Loew untersagte für alle Zeiten den Zutritt zu diesem Ort.

Dennoch ist der Golem nicht wirklich verschwunden: In den Winternächten irrt er immer noch durch das Getto, und viele wollen im Laufe der Jahrhunderte sein bartloses Gesicht mit den vorstehenden Backenknochen und den leicht schräggestellten Augen gesehen haben, wie er mit eigentümlichem Gang daherhastet, als wolle er jeden Moment vornüber fallen.

Jeder legt Symbole auf seine Weise aus: Für mich erläutert die erste Sage das Schicksal der Juden, die wie Zauberlehrlinge zitternd jene Kräfte betrachten, die sie nicht mehr in der Gewalt haben, und die zweite Sage das wesentliche Merkmal der jüdischen Existenz in unserer Zeit: eine Ruhelosigkeit, die ewig in Bewegung, ewig auf der Suche ist ...

Als Kind lernte ich noch eine andere Version der Golem-Sage kennen. Meinen Vater interessierte wohl weniger der jüdische Gehalt als vielmehr die esoterische Bedeutung, wie sie Gustav Meyrink in seinem seltsamen Roman dem Golem gegeben hat. Er besaß ein prachtvolles Exemplar dieses Romans mit Illustrationen des Graveurs Steiner; übrigens war dies eines der wenigen Bücher, die er mit sich nahm. Oft haben wir zusammen in den leicht zerknitterten Seiten geblättert. Wie viele Träume sind mit diesem seltsamzauberhaften Buch verbunden.

Später habe ich darin diesen Satz gelesen: »Allmählich, wenn das Wissen kommt, kommt auch die Erinnerung. Wissen und Erinnerung sind dasselbe ...«

2

26. Juni 1977

Jerusalem wird, wenn die Nacht hereinbricht, fast violett. In unserem Garten sind die Rosen weit geöffnet und schon am Verblühen, doch bald gehen neue Knospen auf.

Heute morgen mußte ich nach Tel Aviv hinunterfahren. Wenn man in die Ebene kommt, fällt die ungeheure Dynamik dieses Landes auf. Hinter Ramla wird die Straße von einem Strom schwerer Lastwagen überschwemmt, beladen mit Maschinen, Kisten, Rohren, irgendwelchen Geräten; rechts wächst eine Wohnsiedlung, die vor zwei Monaten noch nicht da war, aus dem Boden; links kilometerlange, von Zypressen gesäumte Orangenhaine, dazwischen Fabriken, Militärlager, Lagerhäuser. Eine Vitalität wie in Amerika Ende des letzten Jahrhunderts, wenn man die Inflation mal beiseite läßt ... Alles ist unaufhörlich in Bewegung, verändert sich, wächst. Man kann fragen, in welche Richtung sich die israelische Gesellschaft entwickelt, und ich stelle mir diese Fragen; man kann herauszufinden suchen, was aus dem Traum von Israel geworden ist, und ich tue das oft, doch läßt sich nicht leugnen, daß es überall mit Energie vorwärtsdrängt. Diese Lebenskraft kann unvorhersehbare Veränderungen bewirken, was Hoffnungen, aber auch Befürchtungen rechtfertigt.

Schon gleich nach meiner Ankunft in diesem Land, während meines kurzen Aufenthalts in Nira, mußte ich mich mehrmals wegen irgendwelcher Formalitäten nach Tel Aviv begeben. Die Küstenstraße existierte damals noch nicht, und der Omnibus, den man in Natanya bestieg, machte einen ziemlich großen Umweg über Beit Lid, dem riesigen Durchgangslager für Neueinwanderer, das neben einem Militärcamp lag, dann Kfar Saba, auf dieser Strecke Symbol einer blühenden, wohl etablierten Landwirtschaft; Ramat Gan mit seinen Konserven- und Schokoladefabriken; endlich Tel Aviv, Metropole und damals auch Hauptstadt des neuen Staates. Diese ungefähr anderthalbstündige Fahrt symbolisierte gleichsam das Abenteuer, das Israel bestehen mußte: in Beit Lid sah man die unterschiedlichsten Menschentypen in den Bus steigen, eine bunte Gruppe, ein wenig verwirrt, ja verloren, wie ich auch in gewisser Weise. Doch Kfar Saba, Ramat Gan, Tel Aviv zeigten ihnen allen, wie sie es zu Wohlstand bringen und neue Wurzeln schlagen konnten.

Weil ich von Tel Aviv sprechen will, erwähne ich diese Reisen, denn auf der Fahrt dorthin fühlte ich manchmal undeutlich wie in Ben Shemen, daß da irgend etwas nicht stimmte, ein zwar fast unmerkliches, aber vorhandenes Gefühl, das immer wieder auftauchte wie Zahnweh, das sich lange nur als dumpfe Mahnung bemerkbar macht, sich plötzlich aber in unerträglichen Schmerz verwandeln kann.

Ich war stolz auf Tel Aviv, als hätte ich es selbst erbaut; ich lief, um die neuesten Bauwerke zu sehen, und begeisterte mich an dem kraftvoll pulsierenden Leben der Stadt, das doch nicht über das einer mittelgroßen levantinischen Stadt hinausging. Ich spürte die Größe der täglichen Anstrengung und die Ausmaße des Erfolgs. Manchmal jedoch sah ich plötzlich den Schmutz der zerbröckelnden Fassaden, den beginnenden Zerfall gerade erst errichteter Bauten, den schlechten, kitschigen, schreienden Geschmack der Schaufensterauslagen, sah, daß es diesem provinziellen Urbanismus an jeglicher Phantasie fehlte, sah vor allem, wie laut und vulgär die Leute waren, und damals schon breitete sich in mir ein Unbehagen aus, das zwar nur kurz anhielt, dennoch aber mehr war als nur ein ästhetisches Gefühl und irgendwo in mir eine tiefe Unschlüssigkeit hervorrief, die vielleicht den Kern der Dinge betraf.

27. Juni 1977

Man braucht nur ein wenig früher als gewöhnlich aus dem Haus zu gehen, um in den Straßen die arabischen Arbeiter aus den besetzten Gebieten oder aus Ost-Jerusalem in nicht endender Kette zu ihren Arbeitsplätzen im jüdischen Teil der Stadt hasten zu sehen. Auf dem Kopf tragen sie die weiße Keffiah, die mit einer bunten Schnur festgehalten wird, oder aber eine schlichte Wollmütze. In Bussen gelangen sie bis zum Jaffa- oder zum Damaskus-Tor; von dort gehen sie dann zu Fuß weiter. Dem Anschein nach friedliche, zufriedene Grüppchen. Seit langem ist es ruhig in der Stadt: keine Attentate, nichts. Einfache Menschen, arme Menschen, Bauerngesichter, ein wenig erschrockene Blicke... Woher kommt diese allgemeine Ruhe? Fatalismus, die Verlockung des Geldes, Angst?

1937 machten meine Mutter und zwei ihrer Brüder eine Kreuzfahrt nach Palästina. Namen wie Tel Aviv und Haifa tauchten auf den Postkarten auf; der Name Tel Aviv hatte damals für mich einen besonderen Klang: das war keine Stadt, sondern vielmehr ein gewisser Geschmack von Karamel...

Die Erwähnung dieser Reise erlaubt es mir, genauer zu erläutern, was ich über unsere Beziehung zum Judentum geschrieben habe. Zwar hatte das Judentum als religiöse Tradition für uns keinerlei Bedeutung, doch war bei meiner Mutter und ihren Brüdern ein mehr oder weniger aktives Interesse für den Zionismus vorhanden. Der älteste Bruder, mein Onkel Paul, war übrigens Mitglied der zionistisch orientierten Gruppe »Blau-Weiß«, die in Deutschland und auch in Prag aktiv war. Auf jeden Fall war er der Mentor dieser Kreuzfahrt.

Von dieser Reise kam Onkel Hans, der jüngere Bruder, zutiefst enttäuscht zurück. Was hatte er in Palästina zu finden gehofft? Ich weiß es nicht, doch vor einigen Jahren hat er mit mir über die Unsicherheit gesprochen, die die ständigen Manifestationen eines seiner Ansicht nach kompromißlosen Nationalismus in ihm hervorgerufen haben. Der völlige Mangel an Verständnis der arabischen Position gegenüber hatte ihn überrascht und der Militantismus, der selbst in den Kibbuzim anzutreffen war, auch, da er doch erwartet hatte, eine tolstoische, egalitäre, idealistische, pazifistische Gesellschaft vorzufinden. Onkel Hans wandte sich also vom Zionismus ab und der Anthroposophie zu.

Onkel Paul dagegen blieb seinen Überzeugungen treu und machte sich sehr bald schon auf den Weg nach Palästina. Welchen Eindruck die Begegnung mit Erez Israel damals auf meine Mutter gemacht hat, kann ich nicht sagen, doch ist anzunehmen, daß sie hier ihrem älteren Bruder näher stand als dem jüngeren, da auch sie später daran dachte, nach Erez Israel auszuwandern. Willy, der dritte Bruder, interessierte sich nur für die Chemie.

1937 jedoch war von Emigration noch nicht die Rede. Wir waren in keiner Weise beunruhigt. Wir waren gerade aus unserem kleinen Haus in Bubenec in eine luxuriöse Wohnung am Ufer der Moldau genau dem Schloß gegenüber umgezogen. Kurz und gut, wir fühlten uns vollkommen sicher.

Der Anbruch neuer Zeiten wurde mir zum ersten Mal deutlich, als ich im Frühling 1938 meinen Onkel Paul in tschechischer Uniform (mit umgehängtem Säbel) sah, wohl bei der unheilvollen Mobilisierung im Mai. In Rochlitz erlebten wir einige heftige Demonstrationen der Anhänger

Henleins, des pro-nazistischen Führers der Sudetendeutschen; mehr noch als ihr Geschrei sind mir ihre weißen Wollstrümpfe (ein Erkennungszeichen) in Erinnerung. Auf jeden Fall kehrten wir überstürzt nach Prag zurück.

Während dieser fieberhaften Tage hörte ich eine Rede Hitlers. Wir waren um den Radioapparat versammelt: Die Gesichter blickten düster. Die Szene selbst ist mir in Erinnerung geblieben, doch erinnere ich mich außerdem noch an eine heiser hervorgestoßene Wiederholung, eine Art Alliteration, die ich nirgends unterbringen konnte, bis ich eines Tages, als ich mich mit jenem Zeitabschnitt befaßte und die Hitler-Rede vom 26. September dieses Jahres las, auf folgende Sätze stieß:

»An einem Tage zehntausend Flüchtlinge, am nächsten zwanzigtausend, einen Tag später schon siebenunddreißigtausend, wieder zwei Tage später einundvierzigtausend, dann zweiundsechzigtausend, dann achtundsiebzigtausend, jetzt sind es neunzigtausend, einhundertsiebentausend, einhundertsiebenunddreißigtausend und heute zweihundertundvierzehntausend.«

Was ich gehört hatte und nicht mehr vergessen konnte, war die beschwörende Wiederholung des Wortes »tausend«, vergleichbar dem Keuchen einer gräßlichen Lokomotive.

Der Krieg schien nahe zu sein, dann kam München und jene wenigen Monate des »Aufschubs«, die für die Juden Monate einer wachsenden Katastrophe werden sollten. Wir aber rührten uns immer noch nicht. Ja, ausgerechnet in dieser Zeit machte ich mich zum ersten Mal auf den Weg zur Schule, einer englischen Privatschule. Hatte man diese Schule gewählt, da man an eine eventuelle Abreise dachte, oder weil jüdische Kinder in öffentlichen Schulen nicht mehr zugelassen waren (obgleich die Deutschen noch gar nicht da waren)? Ich weiß es nicht. Auf jeden Fall blieb ich dort nur wenige Monate, Zeit genug, um mich mit dem schwierigsten Buchstaben des Alphabets, dem »k« herumzuplagen, zur

Beerdigung unseres Direktors zu gehen und zu lernen, daß ich Jude war.

Ich habe schon von der Beerdigung unseres Direktors gesprochen, doch auch der Buchstabe »k« ist in diesem Zusammenhang von Bedeutung. Es wird erzählt, der Begründer des Chassidismus, der Baal Schem Tow, habe alles bis auf einen einzigen Buchstaben des Alphabets vergessen, doch indem er sich an diesen Buchstaben klammerte, sich auf ihn stützte, entdeckte er eine ganze Welt. Auch ich entdeckte – ausgehend von diesem Buchstaben »k« – eine Welt, und zwar zunächst die Welt der Schule in einer unsicheren Zeit, in der sich die allgemeinen Erschütterungen mit dem Alltäglichen zu ungewöhnlichen Konstellationen verbanden. Und noch etwas anderes ...

Ich kam im September, also kurz vor dem Münchner Abkommen, zur Schule. Man vergißt heute leicht, daß in jenen Tagen vor dem endgültigen Nachgeben der Krieg unmittelbar bevorstand. In Prag folgte ein Alarm dem anderen: Ich machte auf diese Weise Bekanntschaft mit Sirenen, Luftschutzräumen und vor allem mit den Gasmasken, die jeder wie einen Talisman in einer zylindrischen Schachtel an einem Schulterriemen mit sich herumtrug. Mit Schulranzen und Gasmaske ging ich also zur Schule. Ich weiß nicht, ob diese Masken bei einem Angriff wirklich etwas genützt hätten, aber ich erinnere mich daran, daß in unserer Familie fast jemand der Gasmaske zum Opfer fiel: meine Tante Marthe. Wie alle anderen probierte auch sie ihre Maske aus, wußte nicht, wie der Luftschlauch zu öffnen war, konnte sich nicht mehr von der Gummihülle befreien und wäre fast erstickt.

Kommen wir noch einmal auf den Buchstaben »k« zurück. Die Tatsache, daß es mir nicht gelang, diesen Buchstaben zu schreiben, hatte dreierlei zur Folge: Mit meinem

Federhalter verschmierte ich mein Heft und mußte deshalb wiederholt nachsitzen. Wegen dieser Strafen mußte ich die Strenge meines Vaters ertragen, entdeckte jedoch auch, wie sanft und milde meine Mutter war. Hatte ich nachsitzen müssen, wurde ich nämlich nicht von Vlasta, sondern von meinem Vater oder meiner Mutter abgeholt. Wenn mein Vater unten an der Treppe stand, gab mir sein Schweigen allein schon zu verstehen, wie nichtswürdig ich war, ohne daß deswegen die Wissenschaft des »k« für mich verständlicher geworden wäre. Für meine Mutter schienen das »k« und die Nachsitzerei keine Bedeutung zu haben: Sie nahm mich an der Hand und führte mich ins Café Slavia, gleich neben der Schule, wo ich eine riesige Tasse Schokolade trank. Wir schwatzten über alles mögliche. Damals, nur wenige Monate vor unserer Abreise, entdeckte ich, wie sehr ich meine Mutter liebte. Deshalb habe ich von dem Buchstaben »k« gesprochen.

Und schließlich lernte ich auch durch den wöchentlichen Religionsunterricht, daß ich Jude war. Ich nehme an, daß es ihn damals in allen tschechischen Schulen gab. Das mag unproblematisch erscheinen, doch für die vier, fünf Juden in unserer Klasse war es eine ständige Demütigung: Einmal in der Woche, wenn die Katechismuslehrerin die Klasse betrat, mußten wir den Raum verlassen, von Blicken verfolgt, die ich als sehr aufmerksam in Erinnerung habe, mir heute jedoch eher spöttisch oder amüsiert vorstelle. Am Ende des Flurs, in einem winzigen Raum, der eher einer Pförtnerloge als einem Arbeitszimmer glich, erwartete uns ein Rabbiner, um uns Geschichten aus der Bibel zu erzählen.

Der Rabbiner begann natürlich mit der Schöpfung der Welt, doch kamen wir schnell voran: Adam und Eva, Kain und Abel, die unglückseligen Erbauer des Turms zu Babel, die glücklichen Überlebenden der Sintflut. Ich weiß nicht, ob wir diese Erzählungen eifrig oder gelangweilt anhörten; ich erinnere mich nur, sie einmal gehört zu haben, weiter nichts.

Wir behandelten die Geschichte Abrahams und die Opferung Isaaks: »Nimm deinen einzigen Sohn, den du lieb hast, den Isaak: begib dich ins Land Moria und bringe ihn dort auf einem der Berge, den ich dir noch zeigen werde, zum Brandopfer dar.« Der Rabbiner erzählte, erklärte jedoch nichts; Vlasta hatte von diesen Dingen nur höchst vage Vorstellungen; und meine Eltern schienen zum damaligen Zeitpunkt, als sich die Notwendigkeit der Flucht immer deutlicher abzeichnete, von biblischen Problemen kaum berührt zu sein. Ich stellte mir Abraham vor, wie er in der Wüste dahinschritt, unter der Last seiner Jahre gebeugt, neben ihm sein Sohn Isaak und hinter ihnen der mit Bündeln und dem Opferschwert beladene Esel. Am dritten Tag sahen sie am Horizont die Umrisse des Berges Moria ... Später geriet die Frage, die der schreckliche Text in mir wachgerufen hatte, für lange Zeit in Vergessenheit; doch sie tauchte wieder auf – und mit welcher Macht!

Warum ist dies eine der ersten Erzählungen unseres Volkes? Warum hat die Bibel sie bewahrt? Ich habe viele Interpretationen und Erklärungen darüber gelesen, doch läßt mich dieser Text nicht los: »Nimm deinen Sohn, deinen einzigen Sohn ... bringe ihn zum Brandopfer dar ...«

Der Gehorsam Abrahams erklärt unsere ganze Geschichte. Noch heute sind die Juden das Volk des Gehorsams – nicht mehr den Geboten Gottes gehorchend, sondern den Befehlen eines geheimnisvollen Schicksals. Warum diese Treue? Wofür?

Am 12. März 1939 war es sogar uns klar geworden, daß die Besetzung der Tschecho-Slowakei (der Bindestrich wies auf die sechs Monate zuvor eingetretene Wende hin) unmittelbar bevorstand. Meine Eltern beschlossen, mit dem Auto in Richtung ungarische Grenze zu fliehen.

Vom ersten Teil der Reise habe ich nur noch die

unbehagliche Erinnerung an einen mit Koffern vollgestopften Rücksitz, auf dem ich kaum Platz hatte. Doch an unsere Ankunft in Brünn erinnere ich mich noch genau. Wir fuhren auf einen großen Platz. Plötzlich ein abruptes Halten, Angst, Verwirrung. Vor meinen Augen erhob sich ein riesiges Gebäude, Rathaus oder Kaserne; vor dem Portal zwei Wachsoldaten mit jenem Helm auf dem Kopf, der in aller Erinnerung bleiben sollte. Sie waren da. Trotz allem, was noch geschehen sollte, bleibt für mich das Hitler-Reich, immer wenn ich daran denke, spontan in zwei reglosen Wachsoldaten verkörpert: keine Gesichter, nur zwei Helme.

Als wir wieder nach Prag zurückkehrten, war es Nacht. Der Lärm der Motoren, der wenig später die Stadt erfüllte, weckte mich nicht auf. Am nächsten Morgen waren überall auf den Straßen und am Ufer der Moldau nur noch deutsche Uniformen zu sehen. Vom sechsten Stock aus konnte man die Jagdflieger beobachten, die tief über den Fluß flogen, dann steil nach oben stiegen, um den Brücken auszuweichen. Wir mußten weg – so schnell wie möglich.

Seit die Deutschen dawaren, ging ich nicht mehr zur Schule, und sogar die Spaziergänge mit Vlasta hörten auf. Ich streifte den ganzen Tag in der Wohnung umher, wo sich die Koffer türmten, und beobachtete durch die Gitterstäbe der Terrasse die im Gleichschritt vorbeimarschierenden Militärtrupps, denen häufig eine Militärkapelle voranschritt.

Manchmal lud mich Onkel Willy, der Chemiker, der ganz in unserer Nähe eine kleine Wohnung hatte, zu sich ein. Um mich abzulenken, mischte er rote und grüne Flüssigkeiten, aus denen plötzlich eine Zauberflamme emporschlug. Doch mein ganz geheimes Vergnügen bestand darin, mich am Ende der Terrasse unter einer Decke auszustrecken und die blutrote Fahne mit ihrem weißen Kreis in der Mitte und der bizarren Symmetrie des schwarzen Hakenkreuzes anzustarren, die sich gerade über meinem Kopf, am Dachsims, mal sanft, mal ruckartig entfaltete.

Der Vorabend unserer Abreise ist von einer Szene bestimmt, die in meiner Erinnerung unwirklicher und anders ist als alles, was in jenen Tagen geschah: Nach dem Abendessen war mein Vater wie gewöhnlich allein im Salon geblieben. Doch nach einer kurzen Weile bat er mich zu sich. Die Fächer des Bücherschranks waren schon leer und das Klavier mit einem Tuch bedeckt, doch die große Lampe stand noch an ihrem Platz. Mein Vater lehnte am Klavier, als wäre er sehr müde. Er öffnete ein kleines Etui und zeigte mir einen Ring. »Er ist für dich«, erklärte er mir, »er wird dich an das Land erinnern, das wir verlassen . . .«

Eine seltsame, ein wenig altmodisch-romantische Geste. Brauchte ich einen Ring, um mich zu erinnern? Brauchte ich einen Ring, um den »vodnik« zum Leben zu erwecken (ein wohl unübersetzbares tschechisches Wort, das ein unter Wasser lebendes Wesen bezeichnet), den »vodnik« aus dem Marionettentheater meines Freundes Jiři, jenen »vodnik«, dessen Abenteuer sich in einer ewig blaugrünen Atmosphäre abspielten? Brauchte ich einen Ring, um mich an die erste flüchtige Begegnung mit der Ungerechtigkeit zu erinnern, an jenem Winterabend, als meine Mutter und ich mit Einkäufen beladen nach Hause gingen und vor uns, neben dem kleinen fahrbaren Wasserkessel, von dem der unvergleichliche Duft nach Prager Würstchen aufstieg, ein zerlumptes Kind zu jammern begann: »Mamo, parki!« (Mutter, ein Würstchen!)? Brauchte ich wirklich einen Ring, um zu sehen, wie die Hexe aus Schneewittchen einen Felsenbrocken löste, um die Zwerge zu zermalmen, und wie sie selbst unter furchtbarem Geschrei in den Abgrund stürzte? Prag und die Welt meiner Kindheit, so verschwommen auch die Umrisse waren, hatte sich mir für immer eingeprägt. Was ist aus dem Ring geworden? Sicher hat er sich in einige Monatsmieten verwandelt. Hatte er nicht zu jenen »Schmuckstücken« gehört, die mein Vater in seinem letzten Brief erwähnte?

Den wahren Grund unserer Abreise hielt man vor mir verborgen. Wir verließen Prag, weil die Deutschen die Tschechoslowakei besetzt hatten und weil wir Tschechen waren: daß da ein wesentliches Element in dieser Erklärung fehlte, fiel mir natürlich überhaupt nicht auf; es schien mir ganz natürlich, daß mein Vater so sehr betonte, daß wir Prag und unser Vaterland in Erinnerung bewahren sollten. In der Tat nahmen wir unser Judentum ja auch mit uns.

Die ganze Familie einschließlich Vlasta begleitete uns zum Wilson-Bahnhof. Zwei meiner Onkel gingen bald darauf nach Palästina, der dritte nach Schweden, wohin meine Großmutter nachkommen sollte. Die Schwester meines Vaters blieb in Prag. Wir haben sie niemals wiedergesehen.

Als sich der Zug in Bewegung setzte, beugte ich mich aus dem Waggonfenster und rief Vlasta zu: »Von jetzt an werde ich meine Schuhe ganz alleine putzen.«

Mit dieser Abreise fand ein erstes Kapitel sein Ende. Je mehr die Zeit vergeht, um so deutlicher empfinde ich, daß sich in dieser Welt meiner ersten Kindheit mein eigentliches Ich geformt hat, trotz der ungeheueren Veränderungen, die später folgen sollten. Es klingt heute banal, ständig vom entscheidenden Einfluß der ersten Jahre zu sprechen, und trotzdem stellt man immer wieder erstaunt fest, wie unauslöschlich sich diese fast vergessene Phase eingeprägt hat.

Ich habe Prag nur ein einziges Mal, unter ungewöhnlichen Umständen, wiedergesehen. Das war im Frühjahr 1967. Die tschechische Übersetzung meines Buches über Papst Pius XII. war gerade erschienen, und die Prager Zeitungen, die darüber berichteten, hatten auch einige biographische Anmerkungen hinzugefügt, da ich ja gewissermaßen ein Landsmann war. Daraufhin bekam ich plötzlich einen Brief, den ersten, den ich aus der Tschechoslowakei erhielt: Vlasta hatte mich durch diese Zeitungsartikel wiedergefunden. Einige Wochen später war ich bei ihr.

Ihr Haar war fast weiß, doch sonst hatte sie sich

kaum verändert. Wir sind stundenlang durch Prag gewandert. Ich bat sie, mit mir den Weg unserer früheren Spaziergänge zu gehen, und so überquerte ich noch einmal die Brücke, auf der der Unfall geschehen war. Doch Vlasta erinnerte sich nicht mehr an den mit einer Plane bedeckten Leichnam, der meiner Meinung nach nahe am Geländer gelegen hatte. Natürlich, wie sollte sie sich auch an meine Phantasiegebilde erinnern?

In Bubenec wollte ich unser Haus sehen. Wir klingelten. Eine Frau öffnete uns, und Vlasta erklärte ihr, was uns herführte. Alles war sozusagen am gleichen Platz, jede Tür, jede Mauer, jeder Winkel. Von dort her war meine Mutter eines Abends, als ich krank war, mit einer Schüssel heißen Wassers und Umschlägen gekommen; dort hatte ich geschlafen, und da war das Eßzimmer. Sogar der Baum unserer Nachbarn war fast unverändert. Doch verglichen mit meinen Erinnerungen war alles geschrumpft: Die Zimmer waren winzig geworden, der Garten, in meiner Erinnerung fast ein Park, kam mir nun wie ein armseliger kleiner Hof vor. Die andere Wohnung am Moldauufer war in Appartements aufgeteilt worden.

Ich erzählte Vlasta das Wichtigste aus meinem Leben, nachdem wir Prag verlassen hatten, und sie erzählte mir von ihren Schwierigkeiten mit dem Regime: Da sie sich kurz nach dem Krieg mit einem Kaufmann verheiratet hatte, der dann starb, hatte sie keinerlei Anspruch auf Rente und mußte die unterschiedlichsten Schikanen einer sozialistischen Bürokratie erdulden. Doch was hatte sie in jenen dunklen Jahren gemacht? Hatte man sie nicht behelligt, weil sie sieben Jahre lang für eine jüdische Familie gearbeitet hatte? Nein, da sie eine ausgebildete Erzieherin war, hatte sie sogar wieder Arbeit gefunden. Doch bei wem denn? Das ist nicht wichtig, sagte sie. Ich drang weiter in sie. Sie verhaspelte sich: Sie hatte in der Familie eines deutschen Generals gearbeitet.

Doch hat meine Zuneigung zu Vlasta nicht nachgelassen, denn zwischen der Erinnerung an die ständige Begleiterin meiner ersten Kindheit und jenem, was sie mir dreißig Jahre später enthüllte, besteht absolut keine Verbindung. Selbst wenn ich es gleich bei Kriegsende erfahren hätte, hätte es keinen Unterschied gemacht, denn für uns alle, die wir jene Zeit als Kinder erlebten, gibt es irgendwo in der Erinnerung eine unüberschreitbare Trennungslinie: Alles, was diesseits dieser Linie ist, der Gegenwart nahe, bleibt düster, und alles, was jenseits liegt, bewahrt die intensive Klarheit eines glücklichen Morgengrauens – selbst wenn die Vernunft und das Wissen uns darauf hinweisen, daß zwischen beiden Zeitabschnitten eine deutliche Verbindung besteht. Blickt man über diese Grenze zurück, so bleibt nur eine unwiderstehliche Sehnsucht.

2. Juli 1977

Gestern abend, Spaziergang durch die Altstadt. Vorbei an der Windmühle und der für die Touristen ausgestellten bunt bemalten Kutsche des berühmten Philanthropen Montefiore, dann über die Treppen von Yemin Moshe hinunter ins Hinnontal, aus dem die ockerfarbene Masse der Mauern aufragt. Je höher ich am Berg Zion vorbei auf der anderen Seite wieder emporsteige, um so deutlicher ist im Hintergrund vor dem violettfarbenen Moav-Gebirge das anfangs fast nicht erkennbare Tote Meer zu sehen.

Chassidim mit Kaftanen aus schwarzer Seide und pelzbesetzten Hüten kommen mir entgegen. In ihren Augen ist unser politisches Hin und Her ohne Bedeutung, der Staat ist ohne Bedeutung. Eines Tages wird der Messias kommen; ob morgen oder in zweitausend Jahren, was bedeutet das schon. Ihr Glaube ist unerschütterlich, rechtzeitig zum Gebet an der Mauer zu sein, ist für sie das Wichtigste. Alles übrige ... Ein Anachronismus, eine Randerscheinung? Ich bin mir dessen nicht sicher. Man sagt, daß die Rückkehr zum Glauben, zu einem extremen, kompromißlosen Glauben in den unterschiedlichsten Kreisen immer mehr zunimmt; sogar bei der Bohème Tel Avivs ist es zu aufsehenerregenden Bekehrungen gekommen.

Vor mir geht ein Araber mit einem gehäuteten Schaf auf dem Rücken. Sicher für eine Fleischerei hier in der Gegend. Von Zeit zu Zeit bleibt er stehen und legt das Schaf im Straßenstaub ab ... Händler sitzen vor ihren Läden und folgen mir ruhig mit den Augen. In der Abendluft ein starker Duft nach Gewürzen. Ewiger Fortbestand der jüdischen Welt, aber auch ewiger Fortbestand der arabischen Welt – beide jetzt unmittelbar konfrontiert.

Eine Konfrontation, bei der alles miteinander verkettet ist, sich alles unaufhörlich ändert und doch alles unbeweglich bleibt, eine Konfrontation aus Paradoxien, Kehrtwendungen und jahrhundertelanger Treue.

Ich erinnere mich an eine Zusammenkunft in Genf ungefähr zwei Jahre nach dem Sechstagekrieg, bei der die Meinungen beider Seiten ausführlich diskutiert wurden. Ich vertrat den Standpunkt Israels; am Diskussionstisch kein Araber, da ich – ein Israeli – da war. Doch unter den Zuhörern viele aufmerksame Araber. Ich wandte mich an das Publikum: »Es erscheint mir aufschlußreich und tragisch, daß die Anwesenheit eines Israelis die eines Arabers ausschließt. Ich weiß, daß es hier im Saal unter den Zuhörern Araber gibt. Ist keiner darunter, der den Mut hat, sich zu erheben, auf die Tribüne zu kommen und mit mir, einem Israeli, zu reden?« Zögern, Warten, dann erhebt sich langsam ein junger Mann: »Ich bin Araber, Palästinenser aus Ramallah, und ich werde mit Ihnen diskutieren. Mein Name ist Fuad Haled.«

Wir waren alle bewegt. Etwas war geschehen, etwas Bedeutungsvolles vielleicht.

Fuad Haled schien ein sehr gebildeter, feinfühliger Mensch zu sein. Er kannte das Leben in Israel genau und wußte viel von jüdischer Geschichte. Er sprach vom Krieg, von der Ausrottung, vom Warschauer Getto. Eine innere Flamme schien diesen Palästinenser zu verzehren, und man spürte, daß sich hier die Möglichkeit einer Annäherung zeigte, der Beginn einer Brüderschaft.

Wir sahen uns am selben Abend kurz noch bei gemeinsamen Freunden wieder, doch Fuad mußte bald gehen. Man sagte mir, daß er sich mit einem Decknamen vorgestellt habe, daß er ein Dichter sei und sehr krank. Leukämie. Dieser Mann, der uns die Hand reichen wollte, mußte vielleicht bald sterben.

Drei Jahre vergingen, und es kam zur Ermordung der israelischen Sportler in München. An jenem Abend rief mich ein Freund an: »Erinnerst du dich an Fuad Haled? Er ist vor einigen Monaten gestorben. Er hieß Fuad Shamali. Er war einer der Organisatoren des ›Schwarzen September‹ und gehörte zu denjenigen, die das Massaker von München vorbereitet haben . . .«

Da ist das Ziontor. Ich lasse das Armenierviertel hinter mir und steige an der Innenseite der Zinnen hinab zum Platz vor der Klagemauer, der von der goldenen Kuppel der Omar-Moschee und der silbernen der Al Aksa-Moschee beherrscht wird, die in der zunehmenden Dämmerung die gleiche undefinierbare Farbe annehmen.

Zu dieser Stunde sind nicht so viele Touristen da, und von den Treppenstufen über dem Platz, wo ich mich niederlasse, hört man deutlich den monotonen Rhythmus der Gebete. Allmählich kommt im Hintergrund ein weiteres Geräusch hinzu, undeutlich zunächst, dann aber immer stärker, sobald der Singsang in der Nähe ein wenig nachläßt: Hunderte von Stimmen steigen jenseits der Mauern aus den arabischen Dörfern des Silo-Tals empor, wie das Piepsen einer Kinderschar, die irgendwo weit weg in der Abenddämmerung spielt.

Am frühen Morgen fuhren wir bei Kehl über den Rhein, der noch im Nebel lag. Wenige Minuten später waren wir im Bahnhof von Straßburg. Zum ersten Mal sah ich die runden Käppis und die über die Ohren gezogenen Baskenmützen: Wir waren also in Sicherheit.

Ich werde den Augenblick, als wir die »Grenze« zwischen dem Protektorat und dem Reich überquerten, nie vergessen. Zu viert begannen sie alles zu durchwühlen, sogar meinen Schulranzen und mein Schreibetui; sie schraubten den Füllfederhalter mit der Glasspitze auf. Der Geruch ihrer Ledermäntel! Endlich fuhr der Zug weiter, und ich schlief ein. Wenn ich heute daran denke, so frage ich mich, wie meine Eltern diese Nacht verbracht haben. Bahnhöfe, Aufenthalte: Nürnberg, Stuttgart. Sind Deutsche zugestiegen? Merkten sie, wer wir waren? Wie sahen sie uns an? Was sagten, was taten sie?

Paris: Der ungewohnte Geruch der Gare de l'Est, der Métro, der Baguettes. Für ein Kind lassen sich die großen Umschwünge oft in diese ganz simplen Veränderungen fassen wie zum Beispiel den ersten für den Laden neben dem Hotel Montholon auswendig gelernten französischen Satz: »Je voudrais une boîte d'allumettes, s'il vous plaît.«

Paris und seine zugleich alten und neuen Ängste: Meine Eltern glauben, daß ich ruhig schlafe, wie es sich für ein Kind meines Alters gehört, vergessen aber, daß dieses Kind in der neuen Umgebung erregt, beunruhigt ist, vergessen auch, daß das Gefühl der Verlassenheit die Mauern des Schlafes durchdringen, durch die Türen des Traumes einsickern und ihm sagen kann, daß die Gefahr da ist, symbolisch, doch gewiß. Ich wache auf, von Panik ergriffen. Alles in diesem Zimmer ist neu, ungewohnt, ja angsterregend, und meine Eltern sind weg. Vom leeren Treppenabsatz sehe ich die hell erleuchtete Eingangshalle und den Nachtwächter hinter seinem Tisch. Schluchzend stürze ich die Stufen hinunter und versuche dem Mann im abgetragenen Anzug etwas zu sagen. Versteht er Tschechisch? Wie sollte er es verstehen können? Doch die Stadt ist ja voller Emigranten, und der Nachtwächter ist Pole, sicher Jude; er versteht mich und beruhigt mich – ein wenig. Das Schluchzen hört auf, wir sprechen ein Gemisch aus Tschechisch und Polnisch, das ein seit langem verschwundenes Verständnis wiederherstellt; und endlich kommen meine Eltern. Das soll nicht wieder vorkommen. Von nun an gehen wir zusammen ins Kino, in die Oper, überall hin.

So habe ich *La Charrette fantôme* gesehen. Ich höre noch das unheimliche Quietschen der Räder, das den Tod ankündigt, und ich sehe Louis Jouvet, den Fuhrmann des Unglücks, am Horizont auftauchen. Ich lerne auch die Spezialbrillen kennen – rosa waren sie, glaube ich – die am Eingang des Kinosaals verteilt wurden und die einen dreidimensionalen Eindruck vermittelten. Wenn der Film komisch ist, mag das ja noch hingehen, aber ich erinnere mich an den fürchterlichen Eindruck, den ein Film über die Anfänge der Fliegerei in mir hinterließ: Als wäre man selbst dabei, sah man, wie eine der Maschinen am Boden zerschellte und in Flammen aufging, während der Körper des Piloten, der aus der Kabine herausgeschleudert worden war, leblos den Hügel hinabrollte ... Fasziniert hat mich auch die Schlußszene von *Aida*. Die Elefanten beeindruckten mich nicht, doch wie konnten Aida und Radames, die man lebend eingemauert hatte, aus ihrem Grab entkommen?

Paris, das waren auch die kunstvoll arrangierten Hummern und Langusten in den Auslagen der Rue des Martyrs mit ihren glänzenden, prächtigen Schalen, die ich in Prag niemals gesehen hatte, das war die Frühlingsluft auf dem Montmartre, das waren die Brunnen im Jardin des Tuileries, das war vor allem der Geschmack von Erdbeermilch, die ich, auf einem riesigen Hocker sitzend, mit meiner Mutter in der Milchbar am Boulevard des Italiens trank, eine intensive Erinnerung, die später für mich zum Symbol des Glücks werden sollte.

»Vor allem hoffe ich sehr, daß Euere Stimmung inzwischen etwas besser geworden ist«, schreibt meine Mutter an eine Freundin, die nach London emigriert ist. »Laß Dich auf keinen Fall durch falsche Gedankengänge deprimieren, es tut's wohl jeder am Anfang und kommt dann später bestimmt immer darauf, daß er Unrecht hatte und ganz zufrieden sein kann. Man darf sich doch nicht an Gegenwärtiges halten und muß unbedingt die Zukunft in Betracht ziehen ... Sei mir nicht bös, daß ich predige, aber da ich ja schließlich in einer ähnlichen Lage bin, darf ich doch, nicht wahr. Ich sage ähnliche und nicht gleiche, denn ich bin überzeugt davon, daß man's hier, besonders für den Anfang, leichter hat. Vor allem eben deshalb, weil alles so bedeutend billiger ist und die Franzosen bzw. Paris einen wärmer aufnehmen. Der Anfang war auch kein Honiglecken, wir wohnten miserabel, und ich wurde von ähnlichen Gedanken verfolgt wie Du, aber geglaubt hab ich mir nie so recht. Jetzt wohnen wir seit 14 Tagen recht gut, in einem maison meublée, nach amerikanischem Muster, winzige Zimmer mit winzigen Küchen, aber für französische Verhältnisse sauber, modern und billig. Wir zahlen für unser Zimmer mit Küche 305 Frs., und da ich natürlich selbst wasche und koche, brauchen wir mit allem drum und dran monatlich höchstens 1500 Frs.«

Auch mein Vater schrieb an die Freundin in London:

»... momentan haben wir alle Hände voll zu tun, um eine Verlängerung unseres Aufenthaltes in Paris durchzusetzen, da sich Emigranten grundsätzlich in der Provinz ansiedeln sollen. Vielleicht hilft uns die Tatsache, daß ich seit kurzem – allerdings mit Widerwillen und infolgedessen geringem Erfolg – einen Umschulungskurs als Elektromechaniker besuche, während Elli bekanntlich in Kosmetik macht. Unser Palästinaprojekt geht absolut nicht vorwärts, ich warte auf Belege aus Prag, die nicht kommen, der englische Konsul verlangt Nachweise, die ich nicht erbringen kann.

Auch andere Prager sehe ich von Zeit zu Zeit, viele arme, manche reiche. Die hier sind, möchten zurück und die dort sind, möchten her; beide Kategorien haben recht ...«

In einem anderen Brief zu Beginn des Sommers drückte sich mein Vater noch deutlicher aus:

»... Ihr werdet ja in absehbarer Zeit doch in Amerika landen, wo Ihr hochmögende Verwandte habt und Eure Lage ist somit zweifellos objektiv günstiger als die von Hunderttausenden Leidensgefährten, deren gelobtes Land nur in der Vergangenheit liegt. Daß wir Angejahrten noch jemals unsere schöne Heimat wiedersehen werden, glaube ich nicht ...

Vor drei Tagen wurde mit einem tatsächlich unerhörten und ungesehenen Prachtaufwand der 150. Jahrestag der Bastille-Erstürmung gefeiert. Alle die braven Tanks und Geschütze, die wir im September vergebens erwartet hatten, defilierten auf den Champs Elys., Tausende und Abertausende sangen vom Tag des Ruhmes, der nun gekommen sei ... auf den Straßen wurde in den Pausen getanzt und der Herrgott in Frankreich hatte sein Feiertagsgwandl angezogen ... Dr. Kelsen ... erhielt von einem Cousin, der sich auf dem gleichen Schiff befindet wie Karl Nachricht, daß sie an der syrischen Küste seien, daß sich alle wohl befänden und mit allem, bis auf Cigaretten, gut versorgt seien. Mein Schwager berichtet, daß die Engländer sich bereit erklärt hätten, den Transport landen zu lassen und zu Lasten der Flüchtlingszertifikate zu legalisieren, daß aber der Kapitän durch eine illegale Landung der ihm drohenden Beschlagnahme seines Schiffes entgehen will. Jedenfalls erwartet man die Ankunft Sindbad, des Seefahrers, für die allernächsten Tage ... So ungünstig die Nachrichten auch lauteten, die ich von verschiedenen Seiten über Erwerbsmöglichkeiten, wirtschaftliche und gesellschaftliche Struktur des Landes usw. erhielt, daß man sich zuhause fühle und das Gefühl habe, ein freier Bürger zu sein, darin waren sich alle einig. Was das bedeutet, wissen wir jetzt wohl zu schätzen, ich will nicht in einem anderen Staat oder Land das gleiche Schauspiel miterleben, da ziehe ich es vor, zeitlebens ein Schnorrer zu bleiben ... oder mit Arabern Krieg zu führen. Übrigens werden wir besten Falles in ca. einem Jahr an die Reihe kommen, auf so lange Sicht Entschlüsse zu fassen, kommt Leuten unseres Schlages nicht zu. Daß wir ganz und gar nicht auf Rosen gebettet sind, kannst Du Dir wohl vorstellen, wir haben weniger gehabt und verdienen gar nichts. Deshalb warte ich aber nicht auf den Tod, zumindest nicht auf den eigenen, sondern auf den von anderen, bei dem ich gern assistieren möchte. Wir müssen noch das Ende aller dieser Finsternisse miterleben oder zumindest unseren Kindern die Liebe zum Licht so nachhaltig einpflanzen, daß sie nie mehr vergessen ...«

5. Juli 1977

Während des ganzen gestrigen Abends habe ich diese Briefe übersetzt und abgeschrieben. Ich komme nicht von diesem letzten Satz los: »Wir müssen noch das Ende aller dieser Finsternisse miterleben ...« Ein Brief vom Juli 1939. Seitdem sind fast auf den Tag genau achtunddreißig Jahre vergangen, und immer noch die gleiche Angst: Wir müssen überleben ...

Hoch oben über der Stadt kreisen unaufhörlich die

Kampfflugzeuge. Tägliche, routinemäßige Übungsflüge. Ich höre den Lärm der Motoren nicht mehr. Zwei Detonationen kurz hintereinander: Flugzeuge durchbrechen die Schallmauer; alle Fensterscheiben haben gezittert, und ein Rabe, der auf der Gartenmauer hockte, ist schwerfällig auf das gegenüberliegende Dach geflogen. Nun ist wieder das gewohnte Brummen zu hören ...

Zu welchem Zeitpunkt wurde mein Vater auf seine Weise zum Zionisten? Ich weiß es nicht. Wahrscheinlich als er absolut keinen Ausweg mehr sah. »... Da ziehe ich es vor ... mit Arabern Krieg zu führen ...« Konnte er ahnen, daß auch die Generation seiner Enkelkinder noch Krieg führen würde – und deren Kinder womöglich auch noch?

Wenige Tage nach Beendigung des Jom-Kippur-Kriegs folgte ich Avis Sarg. Zwei Jahre vorher, als er mein Assistent wurde, hatte ich ihn kennengelernt. Er war nicht brillant im herkömmlichen Sinn, nicht mehr als Shaul oder die zwölf anderen, die 1973 am Geschichtsseminar teilnahmen. Diese *sabras* haben irgend etwas Bäurisches, irgend etwas Langsames, Ursprüngliches.

Wir lasen Texte der deutschen Jugendbewegung aus den zwanziger Jahren – der »Bünde« mit ihrem zweifelhaften Geschick. Wir diskutierten die neue, besondere Stellung, die damals die Jugend in der europäischen Gesellschaft einnahm. Wir stellten Gemeinsamkeiten zwischen dem deutschen »Wandervogel« und bestimmten zionistischen Richtungen, vor allem der extremen Linken, fest – was erstaunen mag. Wir befaßten uns auch mit dem Wandel einer nationalistischen einheimischen Rechten, die ihrerseits zu Beginn der dreißiger Jahre den Kult der Jugend nach dem Modell des italienischen Faschismus gepredigt hatte; diese sogenannten »Birionim« von Aba Achimeir waren ziemlich unbedeutende Gruppen gewesen, doch folgten sie ganz genau dem Muster der fanatischsten Bewegungen, die damals in Europa existierten.

Avi schrieb gerade eine Arbeit über die Bünde, während Shaul Achimeir und seine Gruppe als Thema gewählt hatte. Beide wollten mir ihre Arbeiten im Herbst vorlegen, um anschließend mit ihrer Doktorarbeit zu beginnen. Unmittelbar nach dem Ausbruch des Krieges wurden sie eingezogen. Am 13. Oktober schickte mir Avi eine Karte:

»Sinai, 13. Oktober '73, 16.30 Uhr. Mein lieber Saul, ich nutze einen Moment der Ruhe, um Dir auf dem Kolben eines Maschinengewehrs, das vorne auf dem Jeep montiert ist, zu schreiben. Sehr romantisch, nicht wahr? In Wirklichkeit jedoch ist alles ziemlich banal. Immer noch warten wir. Von Zeit zu Zeit schlägt eine Granate ein, und wir geben ein paar Schüsse ab. Und wir warten.

Erinnerst du dich noch an die Diskussionsrunde, die ich zu organisieren versuchte, um über den israelisch-arabischen Konflikt zu sprechen? Wir hatten alle möglichen Theorien formuliert und waren uns mehr oder weniger einig, daß die augenblickliche Regierung dem Problem nicht gewachsen war. Mehr denn je glaube ich, daß der Konflikt nur langfristig zu lösen ist (die nationalen Ziele aller Beteiligten, die zu errichtende Regierungsform usw.), doch bin ich überzeugt, daß es keine Lösung gibt, ehe wir nicht den Arabern einen sehr harten Schlag versetzt haben, ehe es ihnen nicht klar geworden ist, daß sie uns nicht vernichten können. Ich hoffe, es geht Euch allen gut. Auf bald, Avi.«

Shaul, der ein Panzerbataillon kommandierte, wurde am vierten Kriegstag getötet, und zwei Tage vor dem Waffenstillstand verbrannte Avi in der Nähe des Amer-Sees in seinem Jeep.

Wir waren nur ganz wenige, die in Regen und eisigem Wind, der manchmal über die Hügel Jerusalems fegt, an Avis Grab standen. Er hatte zwei Wochen lang mit dem Tode gerungen: ein eiternder Körper, aufgequollen und entstellt, der nicht sterben wollte.

Der Wind trug die wenigen Worte, die ich sagte,

davon. Im übrigen, was hatte ich schon zu sagen? Der Regen konnte die neuen Gräberreihen nicht verbergen: Viele dieser Toten waren, wie Avi, kaum zwanzig Jahre alt. Werden wir so in immer neuen Kriegen die Hügel Jerusalems mit immer neuen Grabsteinen bedecken?

6. Juli 1977

Das Haus der Familie V. liegt der Stadtmauer gegenüber. Als wir es verließen, tauchte der Vollmond die Zinnen in ein unwirkliches Licht. Unwillkürlich blieben wir, ohne ein Wort zu sagen, auf der Türschwelle stehen. Wie in stummer, spontaner Übereinkunft.

> Von Seir ruft es mir zu:
> »Wächter, wie weit ist's in der Nacht?
> Wächter, wie weit ist's in der Nacht?«
> Der Wächter spricht:
> »Gekommen ist der Morgen und auch die Nacht!
> Wollt ihr fragen, so kommt wieder und fraget!«

Mein Vater gab die Elektromechanik auf, und da er hoffte, ein kanadisches Visum zu erhalten, reiste er nach Aurillac, um dort die Anfangsgründe eines jenseits des Atlantiks sehr gefragten Handwerks zu erlernen: die Käseherstellung. Meine Mutter besuchte weiter den Kosmetiklehrgang, und ich wurde in Montmorency bei Paris in einem *home* für jüdische Kinder untergebracht.

Eines dieser Kinder hieß Jacob. Stundenlang saß er, in einen Stapel Illustrierte vertieft, auf seinem Bett: Er hatte eine sehr weiße Haut, grüne Augen, auf dem Kopf ein schwarzes Käppchen, und das Gesicht umrahmten braune Schläfenlocken, die er zum Teil hinter den Ohren versteckte.

Ich könnte heute nicht mehr sagen, ob alle diese Kinder fromm waren, doch viele waren es und zu meinem Unglück auch Jacob. Er bemerkte sofort, daß seine Gebete mir ebenso fremd waren wie sein Jiddisch, sein Käppchen und seine Schläfenlocken, und er schlug Alarm. Ich war ein Nichtjude, ein *goi*. Und nun rächten sich die jüdischen Kinder von Montmorency für all das, was die *gojim* ihnen, ihren Familien und dem ganzen jüdischen Volk angetan hatten – ob sie dies nun selbst erlebt hatten oder nicht. Für all diese Leiden sollte ich der Sündenbock sein. Ich war unter Juden zum Juden geworden, doppelter Jude.

Sie banden mich an einen Baum und schlugen mich. Wie viele Alpträume sind mit diesem schrecklichen Augenblick verbunden. Ich sehe den Baum wieder, erinnere mich an die Rinde, fühle die Rauheit ihrer grünlichen Oberfläche. In der Ferne das stattliche Gebäude, in dem wir wohnten, von einer großen Terrasse umgeben. Ein strahlender Sonnentag, Blumenbeete, frisch geschnittene Rasenflächen. Jüdische Kinder schlugen mich, da sie mich für anders hielten. So gehörte ich zu niemandem mehr. In diesem Augenblick wußte ich nur eins: Meine Eltern waren weit weg, und diese Kinder flößten mir Entsetzen ein. Ich schrie vor Angst, schlug den Kopf gegen den Stamm.

Auf mein Geschrei eilten die Erzieherinnen herbei. Eine von ihnen nahm mich auf den Schoß. Ich zitterte so stark, daß ich lange Zeit keinen zusammenhängenden Satz herausbekam. Endlich beruhigte ich mich, aber das Unglück war geschehen: Ich war wieder ein Kind von knapp drei Jahren, und jede Nacht machte ich mich naß. Man legte mich zu den »Kleinen«: Dort roch alles schlecht, doch wenigstens quälte man hier nicht die *gojim*.

Ich blieb noch gut sechs Monate in Montmorency. Es war eine Zeit ständigen Leidens, nicht wegen der Quälereien – die hörten auf –, sondern wegen der Trennung.

Die Wochentage waren noch zu ertragen, da ich in

Erwartung des Sonntags, in ständiger Hoffnung auf Besuch lebte.

Zu Beginn meines Aufenthalts besuchten mich meine Eltern alle beide, aber als mein Vater Paris verlassen hatte, konnte meine Mutter allein nicht jeden Sonntag bei mir verbringen. Und ich wußte niemals im voraus, ob und wann sie kommen würde.

Gab es ein Telefon in Montmorency? Nie erhielt ich einen Anruf, und jeden Sonntagmorgen begann das Warten von neuem. Von der Terrasse konnte man sehen, wer sich dort, ungefähr hundert Meter weit weg, wo die Bäume die Straße nicht verbargen, dem Eingangsportal näherte. Gleich nach dem Frühstück ging ich auf die Terrasse und legte mich auf die Lauer. Von Zeit zu Zeit kam Besuch für ein anderes Kind, und ich wurde noch trauriger. Stundenlang konnte ich so ausharren, verließ meinen Posten nur, um zu essen, und sofort danach war ich wieder zur Stelle. Manchmal wartete ich noch am Nachmittag, obwohl ich doch schon wußte, daß meine Mutter nicht mehr kommen würde.

An den meisten Sonntagen jedoch kam meine Mutter. Bis zum Mittagessen lebte ich dann in höchstem Glück. Dann aber begann die Angst vor ihrer Abreise. So verschwommen ich mich auch an jene Besuchstage erinnere, einen Ort habe ich noch ganz genau im Gedächtnis: die Gartenlaube.

Wenn man das Heim verließ und die Straße hinunterging, kam man zu einem Café, das mitten in einem Garten lag. In diesem Garten gab es eine Laube und darin zwei oder drei Tische. Dorthin setzte sich meine Mutter am Nachmittag oft mit mir, ehe sie wieder abfuhr. Und so ist all die Traurigkeit, derer ein Kind fähig ist, in einer ganz alltäglichen Szene eingefangen: An einem Sommernachmittag in Montmorency sitzt ein kleiner siebenjähriger Junge in der Gartenlaube eines Cafés seiner Mutter gegenüber. Zwei Gläser mit Limonade stehen auf dem Tisch, doch trotz der Hitze sind sie noch nicht leer. In ungefähr einer Stunde wird die Mutter fahren. Das ist alles.

Dieser Zeitabschnitt findet nur beiläufig in einem Brief meines Vaters Erwähnung: »Der Kleine fühlt sich in dem Institut, in dem wir ihn untergebracht haben, nicht sehr wohl, was uns – wie du dir vorstellen kannst – ziemliche Sorgen bereitet . . .«

3

».. . Die Auswanderung, das ist ja ein besonderes Kapitel«, schreibt meine Mutter am 23. August 1939, am Tag nach der Unterzeichnung des Paktes zwischen Nazi-Deutschland und Sowjetrußland, an die Freundin in London. »Mit Palästina kann man doch bei der bewachten Situation kaum rechnen, meine Brüder bemühen sich zwar weiter, aber wir sind recht skeptisch. Es ist ja überhaupt beinahe komisch, sich diesbezügliche Gedanken zu machen. Aber kann man sich auf Euch Engländer verlassen? – Vielleicht kommt doch kein Krieg. Na, morgen werden wir vielleicht mehr wissen. Wie war Euch gestern zumute? Ich las früh, wie immer, in der Metro die Aufschriften fremder Zeitungen und fiel beinahe in Ohnmacht. Am Abend hörte ich sämtliche Radiostationen, von Deutschland angefangen (habt Ihr's gehört, man mußte, trotzdem einem mehr zum Weinen war, herzlichst lachen) und wurde wesentlich zuversichtlicher. Es bleibt uns ja nichts anderes übrig, als in möglichster Ruhe abzuwarten und alles über uns ergehen zu lassen, vorläufig habe ich mich mal bei der tschechischen Kolonie als Schwester gemeldet. Wenn nicht der quälende Gedanke an alle unsere Zurückgebliebenen wäre. Meine Mutter hat das schwedische Visum bekommen, aber wird sie noch wegkönnen? ... Tun wird man ja den alten Leuten nichts, dies glaube ich nicht ...

... Vorläufig, wenns überhaupt noch eine Zukunft hier für uns gibt, hoffe ich, die erworbenen Kenntnisse hier verwerten zu können. Ich arbeite schon ein bißchen, und wenn ich mich auf alle Versprechungen für den Herbst verlassen kann, so werde ich uns mindest eine 5-Zimmerwohnung nehmen können. Aber – nachdem wir ja jetzt kollektiven Unterricht in Bescheidenheit bekommen –, werde ich schon sehr zufrieden sein, wenn ich uns werde ›nähren‹ können.

Vielleicht bekäme auch Hans hier Arbeit. Ich hatte da ein Mordsglück; ich besuche einen sehr hübschen Konversationskurs, in dem ich mit Tschechen bekannt wurde, die durch ihre Beziehungen, bzw. durch Vermittlung des tschechischen Konsulats, Arbeitskarten bekamen. Es gelang mir, sie auch für uns einzuspannen, und Hans dürfte demnächst (???) die Arbeitskarte bekommen. Er bekam schon eine diesbezügliche Vorladung zur Prefecture ...«

Der Brief geht am nächsten Tag weiter: »... heute, nachdem ich den Wortlaut des Paktes kenne, hat es gar keinen Zweck mehr, über irgendwas sich den Kopf zu zerbrechen. Das Einzige, was uns zu tun bleibt ist, unser aller Schicksal nicht allzu sehr in den Vordergrund zu stellen, es geht um Größeres, ob wir's überleben, ist unwichtig, ich bin sehr ruhig und habe nur den einen Wunsch, solange als nur möglich durchhalten zu können. Wir sehen uns vielleicht doch noch einmal ...«

Acht Tage später fiel die Wehrmacht in Polen ein, der Krieg begann. Ich kam in ein anderes Heim, das freundlicher war als jenes in Montmorency. Im übrigen begann ich langsam, mich daran zu gewöhnen.

Im Speisesaal wurden uns die Kriegsmeldungen des französischen Oberkommandos vorgelesen; und so erfuhr ich, daß »unsere« Truppen in das Saargebiet eingedrungen waren und Gefangene gemacht hatten. Oft bewunderten wir die an die Front ziehenden Schützenpanzer und die Übungsflüge der »Morane« über dem Flughafen von Toussus-le-Noble. Dann kam der Zusammenbruch, der für mich jedoch eine angenehme Erinnerung bleibt.

Eng an meine Mutter geschmiegt, fuhr ich in einem

Abteil, in dem sich ungefähr zehn Leute quetschten, von Paris nach Néris-les-Bains im Departement Allier. Mein Vater sollte am nächsten Tag kommen. Mitten in der Nacht, kurz bevor wir den Bahnhof Orléans erreichten, wurden wir von deutschen Flugzeugen angegriffen, und Blitze und Explosionen riefen ein ungeheures Durcheinander hervor. Ich drückte mich noch enger an meine Mutter, und ich erinnere mich, daß ich inmitten des allgemeinen Tumults und der Schreie vor lauter Wohlbehagen förmlich schnurrte.

Die zwei Jahre, die wir in Néris verbrachten, habe ich als eine glückliche Zeit in Erinnerung. Warum, ist leicht zu verstehen. Wir waren alle drei wieder vereint und noch dazu in einer winzigen Wohnung, in der wir eng beieinander lebten.

»Néris-les-Bains«, so heißt es im *Petit Larousse*, »Gemeinde im Département Allier, Arrondissement Montluçon: 4600 Einwohner (davon 2650 im Stadtbereich). Kohlensäurehaltige Heilquellen.« Ganz offensichtlich sagt der *Petit Larousse* nicht alles. Wenn ich eine Definition wählen müßte, würde ich kühn behaupten, Néris sei ein Vichy im Kleinen. Aber das stimmt nicht ganz, oder doch zumindest in der Zeit, von der ich spreche. Es war ein Klein-Vichy, doch ohne die Regierung und mit den Juden.

Vor dem Krieg waren die Heilquellen von Néris wegen ihrer wohltuenden Wirkung bei nervösen Leiden berühmt, was nun zur absoluten Ironie wurde. In diesem friedlichen Örtchen mit seinen Kastanienalleen waren Hotels, Familienpensionen und Mietwohnungen in Hülle und Fülle vorhanden. Nach der Niederlage und dem Exodus füllten sie sich mit unzähligen Zwangskurgästen, von denen einige zu den Stammgästen des Ortes gehörten. Fast alle – ich erwähnte es schon – waren Juden.

Wenn ich heute wieder daran zurückdenke, so meine

ich, daß dieser Ort etwas außerordentlich Makabres hatte, gerade weil Néris eine kleine Ferien- und Erholungsstadt war und es sich bemühte, diesen Anschein aufrechtzuerhalten, als wäre überhaupt nichts geschehen. Morgens zogen die »Kranken« in Grüppchen los, um zu kuren; wer es sich leisten konnte, ließ sich später vor den Cafés nieder, oder aber man bummelte gemächlich die Parkalleen entlang; bei Einbruch der Dämmerung ging man ins Kurhaus, um dort dem Kurorchester zu lauschen, das die neuesten Pariser Melodien spielte.

Es gab zwei Kategorien von »Kurgästen«: Die einen wohnten im »Zentrum« der Stadt, die anderen – und zu ihnen gehörten wir – lebten am Stadtrand. Die Straße, die von Montluçon nach Néris führt, gabelt sich gleich am Stadteingang: Der Hauptweg führt den Hang hinauf, vorbei am Bürgermeisteramt, einem wohl neoklassizistischen Gebäude, dem Platz vor der Kirche und der Schule und verläßt schließlich den Ort in Richtung Commentry. Der nach rechts abbiegende Weg weitet sich zur Parkallee mit ihren Hotelfronten, zieht sich am Kurhaus und den Kuranlagen entlang, läuft um das Kurhaus herum, steigt wieder aufwärts und wird schließlich zur schlichten Rue de la Poste, die sich wieder mit der Straße nach Commentry vereinigt. Die wohlhabenden Leute lebten selbstverständlich im Umkreis der rechten Weggabelung, die anderen nahe dem Ausgang der Stadt.

Von Anfang an wurden die Juden in zwei deutlich voneinander getrennte Gruppen unterteilt: in Franzosen und Ausländer. Selbst das gemeinsame Leid konnte diesen Unterschied nicht ganz auslöschen. Aronson und Shushan gehörten zu der einen Kategorie, Friedländer, Meltzer und Fränkel zur anderen.

Wie überall war es auch in Néris nur ein kleiner Teil der »echten« Franzosen, der sich in zwei feindliche Lager spaltete. Da waren einerseits die drei Lehrer, die sich vom ersten Augenblick an heftig gegen die Deutschen und gegen

Pétain wandten, sowie einige »Patrizierfamilien« wie die M. de L. und die T., in denen wir bald treue Verbündete finden sollten; ihnen gegenüber standen andere sogenannte »Großbürger« mit ebenfalls halb provinziellem, halb Pariser Einschlag, deren antisemitische und pétainistische Gefühle außer Zweifel standen.

All dies zeigte sich erst später, denn – ich habe es schon angedeutet – in den zwei Jahren unseres Aufenthalts in Néris konnte anscheinend jeder ungehindert »kuren«, auf der Terrasse des Kurhauses dem Orchester lauschen, *Troika sur la piste blanche* oder *Höllenfahrt nach Santa Fé* sehen, und die Kinder erhielten Postkarten, die höchstpersönlich vom Marschall unterzeichnet waren . . .

Als wir in Néris ankamen, war meine Mutter fünfunddreißig, mein Vater dreiundvierzig Jahre alt. Um mir das Bild meiner Mutter aus der damaligen Zeit vor Augen zu führen, brauche ich nur willkürlich aus der Vielzahl nunmehr höchst genauer Erinnerungen auszuwählen. Ich sitze auf dem Bett, die Tür öffnet sich, und sie tritt ein: Schmal und aufrecht hebt sich ihre Gestalt gegen den Lichtschein ab. Ein offenes Lächeln erhellt ihr Gesicht, das von zwei großen, braunen, zumeist lachenden Augen beherrscht wird. Das kastanienbraune, leicht gewellte Haar ist nach Art des Bubikopfs sehr kurz geschnitten, was ihr im allgemeinen energisches und entschlossenes Aussehen noch unterstreicht. Auch ihre Kleidung ist die einer noch jungen, sportlichen Frau: nichts Duftiges, Weichliches, Schillerndes, sondern schlichte, unauffällige Kostüme und – seltsam, daß mir dies im Gedächtnis geblieben ist – Schuhe mit flachen Absätzen.

Mein Vater war ein wenig größer als meine Mutter, sah jedoch sehr viel zarter aus. Damals in Néris war er schon sehr krank. Sein ungewöhnlich vornehmes Wesen fiel wohl allen auf, die ihn kannten. Etwas in seinem Ausdruck befremdete – sogar ich, das Kind, merkte dies; es war der offensichtliche Widerspruch zwischen einer im allgemeinen strengen, reservierten Haltung und der ausgeprägten Sanftmut in Blick und Zügen. Und bestimmte dieser Widerspruch nicht sein ganzes Leben? Einerseits die Neigung zur Musik, zu den Büchern, zur Kontemplation, andererseits die höchst trockene und nüchterne juristisch-kaufmännische Laufbahn, die er eingeschlagen hatte. So stand die Lebhaftigkeit und Energie meiner Mutter in starkem Gegensatz zur reservierten, kontemplativen und zunehmend melancholischen Haltung meines Vaters.

Heute, da ich dieses niederschreibe, bin ich so alt wie mein Vater war, als er umkam, älter schon als meine Eltern damals in Néris. Ich betrachte sie aus der Ferne, aus sehr weiter Ferne, und frage mich: Welche Verblendung hat sie so von Irrtum zu Irrtum dem Ende entgegengeführt? Welch blindes Schicksal? Ich versuche zu begreifen, mich an ihre Stelle zu versetzen, mir vorzustellen, was ich getan hätte, doch es gelingt mir nicht ... Selbst heute noch sehe ich sie nur mit den Augen des Kindes.

Ich erinnere mich an einen Streit. Sie waren beide in der Küche. Meine Mutter war ganz blaß geworden, und mit der Hand machte sie eine Bewegung, als wollte sie zuschlagen; auch mein Vater hatte den Arm erhoben, um sich irgendwie zu schützen: Er lachte sarkastisch und bitter. Als sie sahen, daß ich sie beobachtete, hörte der Streit sofort auf.

Es ergab sich ganz von selbst, daß hauptsächlich meine Mutter für unseren Lebensunterhalt sorgte. Sie nahm jede Arbeit, jede Demütigung auf sich. Das begann damit, daß wir die Bauernhöfe abklapperten und endlos mit den Bauern herumstritten: »Aber letzte Woche kostete der Liter Milch doch nur ...« Wir gingen zur Ziegenmilch über, und statt Kartoffeln aßen wir bald nur noch Topinamburs. Außerdem nahm meine Mutter in ihrer Eigenschaft als »Kosmetikerin« bald Enthaarungen und Massagen vor. Wenn eine Kundin zu uns kam, folgte ich manchmal der Operation aus einem Winkel des Zimmers: Ein geschwollenes, haariges Bein wurde entblößt, meine Mutter überzog es mit einem bräunlichen Wachs, dann riß sie diese ephemere zweite Haut mit einem Ruck in Streifen ab, die sich – gespickt mit unzähligen Haaren – in einer Schüssel häuften. Ich nehme an, dieses kostbare Produkt wurde später über einem Gas-Rechaud eingeschmolzen, durch ein Sieb gegossen und so wieder von den haarigen Bestandteilen der Damen von Néris befreit. Und die Prozedur begann von neuem. Meistens jedoch ging meine Mutter zu den Kundinnen, und sie schleppte stets eine riesige Umhängetasche mit sich wie die jüdischen Hausierer einer noch nahen Vergangenheit, die nun wieder auf düstere Weise aktuell geworden war. Vor allem aber verdiente sie mit Putzarbeiten das wenige Geld, das wir zur Verfügung hatten. Manchmal, vor allem donnerstags, begleitete ich sie und gewann so bruchstückhafte, mir damals unverständliche, doch bleibende Einblicke in ein katholisches Provinzbürgertum, das ich bald genauer kennenlernen sollte.

Die langen Kinderkrankheiten waren für mich Glückszeiten. Damals war es bei Masern oder Windpocken noch erforderlich, den Kranken streng zu isolieren, so daß meine Mutter gezwungen war, länger als an normalen Tagen bei mir zu Hause zu bleiben. Wir schwatzten miteinander, und ich las ihr Teile aus meinem ersten Werk, *Die Schlange aus der Pampa,* vor ...

Meinem Vater ging es immer schlechter. Das Magengeschwür, daß ihn schon in Prag gequält hatte, verursachte ihm nunmehr ständig Schmerzen. Es gab für ihn weder eine mögliche Diät noch genügend Medikamente, und auch an eine Operation war nicht zu denken. Ich sehe ihn noch, wie er mit abgezehrtem Gesicht stundenlang dalag und versuchte, die Schmerzen irgendwie zu unterdrücken. »Ich, der Unterzeichnete, Doktor Georges Bon, ehemaliger Stationsarzt der Pariser Krankenanstalten, Arzt am Krankenhaus von Montluçon, bescheinige hiermit, Herrn Hans Friedländer, Flüchtling in Néris-les-Bains, behandelt zu haben. Der

Kranke leidet an einem Duodenalgeschwür, er wird häufig von Schmerzanfällen heimgesucht, sein Gesamtzustand ist äußerst schlecht. Der Kranke ist absolut arbeitsunfähig. Montluçon, den 19. Juni 1941.«

Im übrigen war es völlig nutzlos gewesen, die Käseherstellung zu erlernen. Es gelang meinem Vater schließlich, ein paar Schüler zu bekommen – für Deutschstunden. Das Schicksal war von einer grausamen Ironie.

Manchmal jedoch war mein Vater wieder die gute Laune und Fröhlichkeit in Person; vor allem wenn der korpulente, herzleidende, asthmatische, joviale Fränkel, ein Wiener Jude und unser bester und teuerster Freund, schnaufend die drei Etagen zu uns heraufstieg, ächzend die Tür öffnete, sich auf den ersten besten Stuhl fallen ließ und ohne Atem zu schöpfen loslegte: »Habt ihr schon den neusten Witz gehört? Die Polizei verhaftet einen Juden in Marseille; er kann kein Wort Französisch, nur Jiddisch. ›Sie sind Jude?‹ Er hat begriffen, worum es geht, und schüttelt heftig verneinend den Kopf. ›Was denn dann? Vielleicht Katholik?‹ Wieder schüttelt er verneinend den Kopf. ›Sie nehmen uns wohl auf den Arm: Protestant?‹ Immer noch ›nein‹. ›So eine Frechheit! Sie wollen uns doch nicht etwa weismachen, daß Sie griechisch-orthodox sind?‹ Das Gesicht des Juden erhellt sich, er bejaht freudig: ›Ot, ot, ot‹, ruft er (was auf jiddisch so viel heißt wie ›Das ist es, das ist es‹).«

Noch einen Witz, Fränkel!

»Der Krieg ist aus. Ein Jude sitzt in seinem Stammcafé in Wien und liest die Zeitung. Ein Herr nähert sich, setzt sich neben ihn und fragt nach einer kurzen Weile: ›Könnten Sie mir wohl Ihre Zeitung leihen, wenn Sie damit fertig sind?‹ Es ist Adolf Hitler persönlich, in Zivil, sehr höflich, ja bescheiden. Da richtet sich der Jude, der an all das denkt, was er erdulden mußte, was sein Volk gelitten hat, stolz auf und schleudert ihm entgegen: ›Ihnen, Herr Hitler, die Zeitung leihen? Niemals!‹«

Doch oft saß mein Vater in traurigem Schweigen versunken da. Stets ging er zu derselben Bank in der Nähe des Viadukts. Lange blieb er dort sitzen. Denke ich daran zurück, wie er da unbeweglich in der hereinbrechenden Dämmerung saß, wenn ich manchmal nach der Schule dorthin eilte, um ihn zu treffen, so hoffe ich nur, daß er nicht weiter nachdachte, daß er zu müde dazu war. Sonst hätte er sich wohl eingestehen müssen: Sein Glaube an eine völlige Assimilierung war falsch gewesen, seine Fehleinschätzung der Nazi-Gefahr total, sein Vertrauen auf Frankreich lächerlich. Wir hätten in Palästina oder Schweden sein sollen wie meine Onkel und meine Großmutter, zumindest aber außerhalb des Machtbereichs Hitlers. Das Schlimmste war zweifellos, daß wir, nunmehr zur absoluten Passivität gezwungen, nichts anderes tun konnten, als tatenlos abzuwarten.

Was konnte mein Vater denn tun? Nichts hing mehr von ihm selbst ab: Ein besseres Versteck zu finden, lag bei dem guten Willen anderer; zu fliehen ebenfalls. Sich aufzulehnen war für die wenigen Juden, die erkannten, wie sich der Schraubstock immer mehr zusammenpreßte, völlig sinnlos. Wen sollten sie denn angreifen? Die Gendarmen von Néris? Sogar sich stoisch in das Unglück zu ergeben war unmöglich: wie konnte man denn resignierend zulassen, daß anderen womöglich Leid geschah, dem Kind gar, das da gerade ganz außer Atem herbeigelaufen kommt und schon von weitem die große Neuigkeit verkündet: eine gute Note in der Schule, oder – massenhaft Löwenzahn gefunden.

Was immer mein Vater auch tat, er wurde für das verfolgt, was er nicht hatte bleiben wollen: ein Jude. Was er werden wollte, nämlich ein Mensch wie jeder andere, war ihm ein für allemal versagt. Das Recht auf Leben sprach man ihm ab, und dabei wußte er nicht einmal, warum er eigentlich sterben sollte. Nicht so sehr die Möglichkeit zu handeln, sondern vielmehr die Möglichkeit zu sein, war ihm genommen.

Wie in den Flüssen das Treibholz willenlos von Strömungen und Strudeln hin- und hergerissen wird, gegeneinanderprallt und schließlich an das Ufer gespült wird, so wurden die ausländischen Juden in Frankreich durch widersprüchliche Anordnungen, falsche Gerüchte und die wechselnden Zwangslagen des täglichen Lebens hin- und hergestoßen: Ohne irgendeinen Halt, viel zu auffällig, hatten sie kaum Chancen, dem Netz zu entgehen, das sich um sie zusammenzog.

Für meinen Vater mögen die wenigen Bücher, die er mitgenommen hatte, manchmal wohl eine Art magischer Schirm gegen die unerträgliche Wirklichkeit gewesen sein; hier tat sich ein innerer Bereich der Ruhe und des Trostes für ihn auf. Die Titel sind mir noch vertraut: der *Golem* natürlich, dessen Umschlag ein »bartloses Gesicht mit vorstehenden Backenknochen und schräggestellten Augen« schmückte, eine prächtige, in blaues Leder gebundene Ausgabe des *Faust*, *Niels Lyhne*, der melancholische Roman des Dänen Jens Peter Jacobsen, und die ergreifenden, geheimnisvollen *Aufzeichnungen des Malte Laurids Brigge* von Rilke, der wie wir aus Prag stammte.

Oft wenn ich in diesen mir gebliebenen Büchern blätterte, habe ich mich gefragt, welche tief verborgenen Affinitäten, Erinnerungen, Assoziationen meinen Vater wohl dazu veranlaßt haben, gerade diese Bücher auszuwählen. Doch nachzuempfinden, was er empfand, dies zu enthüllen, wird mir wohl nie gelingen. Nur undeutliche Erinnerungen, diese Bücher und einige wenige unter dem Einfluß wachsender Verzweiflung geschriebene Briefe sind mir geblieben ... Mein Vater las und grübelte: Manchmal sah er sich im Geiste sicher in seiner verschwundenen Bibliothek wieder, noch einmal von alldem umgeben, was einst seine Welt gewesen war.

Gewöhnlich klapperte ich mit meiner Mutter die Bauernhöfe der Umgebung ab, doch wenn mein Vater nicht leidend war, ging ich mit ihm los, um zwischen Néris und Commentry Milch zu kaufen. Ohne viel zu sagen, marschierten wir Seite an Seite, und manchmal nahm mein Vater meine Hand. Durch diese winzige Geste wollte er wohl alles ausdrücken, und ich verstand ihn. Wieviel näher fühlte ich mich diesem kranken schwachen Vater als jener imposanten Gestalt der Prager Jahre! Die Hand, die er mir entgegenstreckte, und dieser schweigende Marsch genügten schon.

23. Juli 1977

In einem Text, den mir mein Freund Uri geschickt hat, lese ich, was ein junger Soldat von 1967 bei einem Treffen im Kibbuz En Shemer gesagt hat: »... Wir sind eine von Zweifeln und Skepsis geprägte Generation. Was uns bleibt, sind nur Widersprüche und ein zerrütteter Glaube. Woran können wir denn noch glauben? Ich will es wissen. Ich will wissen, wohin ich gehe und warum ich kämpfe. Ich weigere mich, ewig ein Isaak zu sein, der zum Opferaltar emporsteigt, ohne zu fragen und ohne zu verstehen, warum ...«

Und doch war unser Glaube am Anfang nicht zu erschüttern. Er schien allen Prüfungen widerstehen zu können, allen Stößen, die ihm die Wirklichkeit versetzte. Mit sechzehn, achtzehn Jahren waren wir nicht etwa Dummköpfe, aber wie alle anderen hingen wir überlieferten Vorstellungen an. Im Gymnasium von Natanya wie überall sonst. Ich kam nach Natanya, um dort die Oberstufe zu beenden; vorher war ich einige Monate in der Schule in Ben Shemen gewesen, von der ich schon gesprochen habe.

Es kommt mir vor, als wäre das alles erst gestern gewesen. Einmal in der Woche kam der Direktor zum Staatsbürgerunterricht, der »Esrachut-Stunde«, in unsere Klasse. Der gute S. L. erschien wie ein Wirbelwind, voller Begeisterung, beredsam und mit feuchter Aussprache. Diese

Unterrichtsstunden, die zur höchst primären Indoktrinierung hätten ausarten können, eröffneten uns ganz im Gegenteil weite Perspektiven, denn S. L. ging weit über die eigentlichen Probleme unseres neuen Staates hinaus und war bemüht, uns die großen politischen und ideologischen Konflikte unserer Epoche nahezubringen.

Das »Gymnasium Shaul Tschernichowski« bestand damals aus einem einzigen Gebäude am Ende der Hauptstraße. Nur ein Park, der »Unabhängigkeitspark«, trennte uns vom Strand. In einer derartigen Umgebung hätte es uns völlig fern liegen können, uns mit dem »Was tun?« eines Lenin oder dem Selbstmord des Juden Weininger zu beschäftigen, der die Juden so sehr haßte, daß er sich selber tötete. Doch die Begeisterung unseres Direktors riß uns mit; nichtsdestotrotz war für ihn wie für alle anderen unser Staat das natürliche und gleichzeitig heroische Ergebnis einer Geschichte, für die es keine andere Lösung gab. Abgesehen von einigen zweitrangigen Problemen war künftig alles einfach. Alles war eindeutig.

Man braucht im übrigen nur in den Fotoalben der damaligen Zeit zu blättern, um wieder mit der beruhigenden, definitiven Mythologie, die die unsrige war, vertraut zu werden. Ich habe eines dieser Alben, ein prächtiges Exemplar mit hellbraunem Kunstledereinband, wiedergefunden ... und ich kann nicht umhin, es mit einer gewissen Ungläubigkeit zu betrachten. Kaum fünfundzwanzig Jahre sind vergangen, und schon kommt uns alles wie ein riesiger Bilderbogen vor. Willkürlich wähle ich ein paar Bilder aus: »Großmutter und Enkel auf dem Weg ins Vaterland«: zwei Köpfe beugen sich aus einem Bullauge, eine alte Dame und ein Junge; die lächelnden Gesichter sind einer unsichtbaren Küste zugewandt. »Das Zementwerk Nesher, dessen Erzeugnisse in alle Teile der Welt geschickt werden«: zwei riesige Schornsteine und große, spiralenförmige Qualmwolken, die sich triumphierend am Himmel abzeichnen. »Ein

Chassid, aus Rußland geflüchtet, stellt Dachziegel her«: ein Jude mit langem Bart und Schläfenlocken, den Kopf mit einem Käppchen bedeckt, hebt einen Ziegel mit einem so eindringlichen Blick empor, als wäre es die Thora: Gebet und Arbeit; der Chassid, aus Rußland geflüchtet ... »Von Rumänien in eine Orangenpflanzung in der Sharon-Ebene«: Ein junges Mädchen, frisch wie der junge Morgen, hält behutsam einen schwer mit Früchten beladenen Zweig; ein fast wollüstiges Bild voll Jugend und Feuer; »Die gesegneten Felder von Emek Israel«: Furchen bis zum Horizont. Vision des Unendlichen ... »Ein Fischer aus Bulgarien in einem Fischerdorf in der Nähe von Elath«: Wunderbarer Fischfang, Vision des Überflusses. »Ein Einwanderer aus den Vereinigten Staaten«: Ein Schauspielergesicht, Zigarette im Mundwinkel, so hockt er auf einem prachtvollen Traktor, hinter sich die Weite des Himmels ... Endlich »In Israel geboren«: Alles ist in diesem Bild vorhanden; der stolze Blick; die gebändigte Kraft des Ausdrucks; das blonde Haar und die blauen Augen. Der neue Mensch angesichts eines strahlenden Schicksals. Doch wozu in alten Fotoalben blättern? Im Februar 1949 – ich war allerdings erst knapp sechzehn Jahre alt – schrieb ich nach Frankreich:

»Ich weiß nicht, wie bei Ihnen der Winter war, hier aber ist das trotz des südlichen Breitengrades eine sehr unangenehme Jahreszeit. Es kann tagelang ununterbrochen in Strömen gießen; und dazu ein Sturm, daß man meint, das Dach würde jeden Moment davonfliegen. Wenn ich noch hinzufüge, daß unsere Schule am Meer liegt und uns die Küste hier stets besonders schlechtes Wetter beschert, dann können Sie sich die winterlichen Freuden in Israel sicher vorstellen. ›En Dawar‹ (das macht nichts), wie man hier sagt: Man gewöhnt sich an alles, selbst an das Klima, und dann nimmt der Aufbau des Staates (hier ist das kein leeres Wort) unsere ganze Kraft in Anspruch und läßt uns keine Zeit, an anderes zu denken.

Trotzdem kommt das kulturelle Leben bei uns nicht zu kurz, im Gegenteil. Ich will hier nicht ausführlich darauf eingehen; möchte jedoch erwähnen, daß wir dieses Jahr trotz des Krieges eine hervorragende musikalische Saison hatten und Leonard Bernstein fast zwei Monate in Israel war.

In der Zeit der englischen Mandatsverwaltung waren die Juden bemüht, archäologische Funde geheimzuhalten, da damals alles ins Britische Museum wanderte. Doch jetzt ist diese Vorsicht nicht mehr nötig, und jeden Tag gelangen neue Schätze in unsere Museen.

Ich glaube, ich habe Sie nun genug mit meinem Geschwätz gelangweilt ...«

Meine siebzehnjährigen Freunde, die »in Israel Geborenen« (die »Sabras«), bewunderte ich ebenso sehr wie der junge Tonio Kröger den blonden Hans Hansen oder die blonde Inge Holm – und aus den gleichen Gründen (übrigens habe ich damals zum ersten Mal diese schöne Erzählung von Thomas Mann gelesen). Wir machten einen Ausflug nach Galiläa: kurze Aufenthalte in den Kibbuzim im Norden, wo sich vor unseren Augen eine neue Gesellschaft in ihrer strengen Schönheit entfaltete; Lagerfeuer und romantisches Postenstehen, wobei uns schlichte Stöcke als Waffen dienten; purpurfarbene Sonnenaufgänge über dem Tabor; ermüdende Märsche in der Sommerhitze; und am letzten Abend die ausgelassene Rückfahrt durch die Straßen von Haifa, dann die Küstenstraße abwärts, gerade noch rechtzeitig, ehe die Ruinen von Cäsarea in der Dunkelheit verschwanden; und schließlich der glanzvolle Schlußakt, die Fahrt durch die Hauptstraße des schon fast schlafenden Natanya: Von unseren drei Lastwagen erscholl aus fünfzig Kehlen die eine oder andere Strophe jenes russischen Liedes in Hebräisch:

Ani ehije Komissar Adom
We at, Achot Rachmania

(Ich, ich werde roter Kommissar sein
und du Krankenschwester ...)

Oder aber diese echt israelische Schöpfung:

Moti, Moti, Moti,
se lo stam bahur idioti ...
(Moti, Moti, Moti,
das ist nicht nur ein Dummkopf ...)

In meinem letzten Jahr im Gymnasium schrieb ich einen Aufsatz über einen der ersten Romane in hebräischer Sprache, *Die Fahrt Benjamins des Dritten* von Mendele Mocher Sforim (Mendele der Buchhändler), eine süßliche Imitation des *Don Quijote*, sozusagen ein Stetl-Don Quijote. Ich kann mich nicht mehr genau an diese Arbeit erinnern, den letzten Satz jedoch habe ich nicht vergessen: »Und so bricht Benjamin auf zu neuen Reisen, stets auf der Suche nach jenem Horizont, wo sich – so meint er – Himmel und Erde miteinander vereinigen.« Israel war damals so etwas wie ein kollektives »Benjamin der Dritte« mit dem gleichen Wesensmerkmal und der gleichen Entschuldigung: einer außergewöhnlichen Naivität.

Begann ich in den drei folgenden Jahren, den Jahren meiner Militärzeit, die Dinge grundlegend anders zu sehen? Die Begeisterung der ersten Zeit hatte sich zweifellos langsam gelegt und machte nach und nach einer widersprüchlichen Sicht Platz – ohne daß mir deswegen die eigentliche Problematik unserer Situation aufgegangen wäre. Worin bestand dieser wachsende Widerspruch? In dem Gegensatz zwischen einem prinzipiellen Glauben und den immer problematischen Aspekten täglichen Lebens. Ich empfand aufs deutlichste die künftigen und fast kaum wahrnehmbaren Schwierigkeiten dieser ersten Periode.

Man wird mir sogleich entgegenhalten, daß ich im Begriff war, eine ganz gewöhnliche, alltägliche Ernüchterung zu durchleben, die sich immer dann einstellt, wenn die Unvollkommenheit der Realität mit der Vollkommenheit des Traums konfrontiert wird, die Ernüchterung, die dem Erwachen, der Revolution stets auf dem Fuße folgt, die Enttäuschung, die dem nicht erspart bleibt, der an eine Utopie geglaubt hat. Ich gebe das zu und habe es wohl auch schon damals begriffen. Bleibt die Frage, auf die es keine allgemeingültige Antwort geben kann, nämlich die Frage, die sich an jeden einzelnen richtet und die jeder einzelne nur ganz allein für sich selbst beantworten kann: Über welchen Punkt, über welche unsichtbare Linie hinaus gelingt es den Unvollkommenheiten des Alltags, den eigentlichen Sinn des Unternehmens zu untergraben?

Nach der Rekrutenausbildung wurde ich aufgrund eines kleinen »Herzfehlers« einer nichtkämpfenden Einheit zugeteilt und saß nun also in einem Büro in Jaffa. Außerhalb des Dienstes, der mich täglich acht bis zehn Stunden in Anspruch nahm und manchmal – wenn ich Wache hatte – auch noch nachts, verbrachte ich einen großen Teil der restlichen Zeit mit Lesen. Und die Bücher, die ich las, führten mir vor Augen, wie sehr ich, zumindest rein gefühlsmäßig, gespalten war. Obgleich mir meine neue Sprache inzwischen ebenso vertraut geworden war wie das Französische, wäre ich nie auf die Idee gekommen, einen Roman oder ein Gedicht in Hebräisch zu lesen, denn das wenige, was ich von dieser Literatur kannte, ließ mich zu der Überzeugung kommen, sie könne mir nichts geben. Um so mehr vermißte ich jene andere Kultur, die ich in meinen eigenen Büchern, vor allem den französischen Büchern fand, ja sie fehlte mir wie das Wasser dem Fisch im Sand – eine in sich selbst unzulängliche Metapher, aber wohl der Situation angemessen, die ich zu beschreiben versuche.

Natürlich las ich nicht ununterbrochen. Ziemlich oft bummelte ich abends mit einigen Kameraden durch die Straßen von Jaffa. Überall arabische Straßennamen, arabische

Häuser, doch die Araber selbst waren nicht mehr da: der Krieg. An ihrer Stelle die neuen jüdischen Einwanderer, Bulgaren, Rumänen, Nordafrikaner, das Israel von morgen. Der halb verlassene Leuchtturm im Hafen erhellte nur schwach das tiefschwarze Meer; auf dem unbebauten Gelände, das sich neben der Avenue King-George zwischen Hafen und Stadtzentrum erstreckte, warteten die Nutten auf ihre Kunden; in den kleinen Cafés spielten die Würfelspieler endlose Partien und tranken dabei Arrak, den arabischen Anis, und überall lungerten Soldaten in kleinen Grüppchen herum. Die Vergnügungen von Tel Aviv waren für uns alle viel zu teuer und die Razzien der Militärpolizei eine fast erwünschte Abwechslung, da sie ein wenig Aufregung mit sich brachten.

Im großen und ganzen stellte ich mir jedoch noch nicht allzu viele Fragen, selbst in den langen Bürostunden, wenn ich ungeachtet meines Ranges als Stabsunteroffizier die mir aufgetragene Arbeit einfach beiseiteschob, ein schon völlig bekritzeltes Blatt Papier aus der Schublade zog und mein heimliches Meisterwerk vollendete: Um vom Étoile zum Odéon zu kommen, muß man in Châtelet umsteigen ... Kurz, aus dem Gedächtnis und mehr schlecht als recht rekonstruierte ich liebevoll den Pariser Metroplan und stellte mir dabei selber Fallen ...

Ich durchlebte also auf einer sehr persönlichen und bescheidenen Ebene das Hauptproblem jeder Gesellschaft, das der Verwurzelung, ich durchlebte das Problem des Glaubens. Aber vielen, auch mir, diente und dient die nahe Vergangenheit immer noch als massive Rechtfertigung.

In Néris begann ich zum ersten Mal eifrig zu lesen. Zu meinem achten Geburtstag kaufte mir mein Vater mein erstes richtiges Buch: *Die Abenteuer Sindbad des Seefahrers.* Das gab den Anstoß. Von nun an verschlang ich alles, was mir in die Hände fiel, von den verschiedenen Kinderbuchreihen und Jugendklassikern wie Jules Verne, Karl May, Jack London bis hin zu jenen Büchern, die meine Mutter manchmal in der Stadtbücherei auslieh; kurz bevor ich Néris verließ – ich war noch nicht zehn Jahre alt –, las ich so wie meine Mutter den Roman *Land der Hoffnung, Land der Trauer* von Pearl Buck. Und natürlich führte mich mein unersättlicher Hunger nach Büchern fast jeden Tag in die Bibliothek, die Madame M. de L. leitete.

Madame M. de L., die zu jener Zeit wohl die Sechzig erreicht haben mochte, war eine der wenigen Schülerinnen meines Vaters; an sie sollten sich meine Eltern bald wenden. Sie war klein von Statur, hatte silbrige Haare, grüne Augen und eine Adlernase, und sie war außerordentlich tüchtig. Mit eiserner Hand dirigierte sie die Bibliothek, ihr Haus, die ganze Umgebung, doch hinter ihrem energischen Auftreten verbarg sich eine tiefe und um so aufrichtigere Güte. Ich denke mit Rührung an diese alte Dame zurück, die zunächst meine ersten Leseversuche lenkte und später dann in meinem Leben eine so entscheidende Rolle spielte. Doch damals in Néris war sie nicht die einzige, die versuchte, uns Mut zu machen, und ich persönlich würde es mir zum Beispiel nie verzeihen, unsere drei Schullehrer zu vergessen.

Mit ihrem Hof und den Platanen, dem überdachten Innenhof und dem dreigeteilten Gebäudekomplex, ganz wie es die hochheiligen Regeln der Volksschulerziehung vorschrieben, ähnelte die Schule wohl in allem jener anderen Schule, in der der Grand Meaulnes – gar nicht so weit weg von hier – eine so lebendige Erinnerung hinterlassen hatte. ... Wie der Sohn der Witwe Deslouches in jener Erzählung, so sprachen auch bei uns alle Kinder mit dem rollenden Akzent der Leute aus Montluçon. Monsieur Delaume, Direktor und Lehrer der Oberstufe, erinnerte unwillkürlich an den guten Monsieur Seurel aus der Geschichte. Doch im Unterschied zu den jungen Helden von Alain Fournier begann ich in der untersten Klasse und kam nicht über die Mittelstufe hinaus.

In der untersten Klasse wachte Monsieur Martin über unser Schicksal. Er flößte uns heroische Gefühle ein. Als ich kurz nach dem Waffenstillstand dort Schüler wurde, war Monsieur Martin gerade aus dem Feld entlassen worden. Tag für Tag erzählte er uns von den Schlachten und der Tapferkeit der französischen Soldaten. Wir begriffen, daß der deutsche Sieg nichts Endgültiges war und es bis zur sicheren Befreiung nur ein wenig Geduld bedurfte. Denn in seinen Kommentaren nahm Monsieur Martin absolut kein Blatt vor den Mund, wie im übrigen auch nicht sein Kollege Monsieur Confesson, Lehrer der Mittelstufe. Ganz abgesehen von dem, was er uns allen sagte, lag es Monsieur Confesson am Herzen, mich auch ganz persönlich zu ermutigen. Er hatte irgendwo ein altes Fotoalbum von Prag aufgetrieben. Oft rief er mich nach dem Unterricht zu sich auf das Lehrerpodium, und während – wie im Großen Kameraden – zwei Jungen das Klassenzimmer fegten, um uns herum der Staub aufwirbelte und langsam der Abend herniedersank, blätterte Monsieur Confesson die Seiten um und kommentierte: der Hradschin, die Kleinseite, die Statue des Jan Hus. »Was für eine schöne Stadt!« rief er so bewegt aus, daß ich es nie vergessen könnte. »Du wirst sie bestimmt wiedersehen!« Auch Pascal Delaume sollte bald in mein Leben eingreifen.

Unterdessen gingen die Tage friedlich dahin, unterbrochen von winzigen Ereignissen, die mir, wenn ich heute daran denke, in ihrer Beziehung zueinander höchst bedeutungsvoll zu sein scheinen. So war ich stets der erste in meiner Klasse. Eines Tages, als ich aus der Schule nach Hause zurückkehrte und stolz irgendeinen Triumph verkündete, sagte meine Mutter: »Also hör mal, es ist absolut nichts Besonderes, unter den Kindern von Néris der erste zu sein!« Diese Bemerkung kränkte mich schwer – der beste Beweis dafür ist wohl, daß sie mir im Gedächtnis geblieben ist –, aber ich sah ein, daß meine Mutter recht hatte.

Ich habe schon erwähnt, daß ich am Donnerstagnachmittag manchmal meine Mutter begleitete, wenn sie irgendwohin zum Putzen ging. Eines Tages bohnerte meine Mutter das Parkett im Salon der Familie S. Ich saß in einer Ecke. Die ganze Familie war ausgegangen, bis auf die beiden Töchter des Hauses, die gerade erst aus einem Pensionat der Umgebung zurückgekehrt waren. Hinter den Vorhängen war plötzlich Flüstern und Lachen zu hören, dann: »Dreckiges Judenpack, dreckiges Judenpack ...« Und die Mädchen wollten sich schier ausschütten vor Lachen. Meine Mutter errötete, zögerte einen Moment, dann aber bohnerte sie wortlos weiter ... Man mußte ja leben.

Ich sagte schon, daß wir Löwenzahn sammelten. Ja, bald schon sammelten wir alles nur Denkbare, angefangen bei den Pilzen im Wald von Commentry bis zu den Brombeeren, die überall in der Umgebung wuchsen. Ich klaute Kirschen, sammelte Lindenblüten, las Korn- und Roggenähren auf den Feldern. Wie viele andere gewöhnte auch ich mich an Steckrüben und Topinamburs; um so köstlicher schmeckten die neuen Kartoffeln, die meine Mutter gerade noch rechtzeitig, ehe man sie uns stahl, auf dem uns überlassenen Stückchen Land hinter dem Haus ausgrub. Wie viele andere heizten auch wir mit einem Anthrazitofen, und ich war wohl nicht der einzige Junge in Frankreich, der abends versuchte, über der Kohle Kastanien oder Kartoffeln zu rösten oder Tonkugeln zu brennen.

Manchmal stieg ich ins Dachgeschoß und spähte aus der Dachluke. Ich streckte den Kopf hinaus und suchte forschend den Horizont ab: Nein, die Deutschen kamen nicht. Aber wenn sie kämen ... Ich malte mir ein wildes Gemetzel aus, denn man brauchte ja nur ein Maschinengewehr aufzustellen und mit geschlossenen Augen abzudrücken.

In der Wochenschau aber waren es die Deutschen, die

gewannen. Die Reihe der russischen Gefangenen wurde von Woche zu Woche länger, und die Panzer mit dem schwarzen Balkenkreuz rückten immer weiter vor. Ich sah, wie Sewastopol und Tobruk fielen; die *Hood* wurde versenkt und ebenso die *Prince of Wales*. Bei uns zu Hause sagte man: »Amerika ist in den Krieg eingetreten, jetzt ist alles nur noch eine Frage der Zeit.« Doch wer kann wissen, wieviel Zeit jedem einzelnen noch bleibt?

4

An einem Dezemberabend des Jahres 1941 waren wir alle bei den Fränkels in der Villa Jeanine.

Vater Fränkel war da, seine Frau, eine nichtjüdische Österreicherin, und ihr Sohn Georges, ein Junge von ungefähr acht Jahren, den ich Jojo nannte und mit dem ich zusammen zur Schule ging, Schnecken sammelte und manchmal unserer kleinen Nachbarin auflauerte, wenn diese hoch oben auf dem Treppengeländer schaukelte.

Frau Fränkel breitete eine weiße Tischdecke aus, legte das silberne Besteck, das merkwürdigerweise alle Wirren von Wien bis Néris überstanden hatte, auf den Tisch und stellte die langstieligen Kristallgläser bereit, und Vater Fränkel erzählte inzwischen wie gewöhnlich Geschichten, wobei die asthmatischen Pausen seine natürliche Lebhaftigkeit wirkungsvoll unterstrichen. Dann erhob er sich, öffnete einen Schrank und nahm einen achtarmigen Leuchter heraus, den er auf die Kommode stellte. Er zündete die Kerze an, mit der alle anderen angezündet werden, und reichte sie meinem Vater, der die erste Kerze des Leuchters entzündete. Es war Chanukkah, das Lichterfest.

Frau Fränkel hatte die traditionellen *Latkes* aus Kartoffeln zubereitet, meine Mutter hatte Kohlrouladen mitgebracht, die sogar mit ein wenig echtem Gehackten gefüllt waren, und Vater Fränkel goß mit sehr viel Wasser verdünnten Wein in die Kristallgläser. Mein Vater rückte seinen Stuhl zurecht, nahm mich auf seine Knie und erzählte die Chanukkah-Geschichte.

Er erklärte mir, wie man die Juden habe zwingen wollen, ihren Glauben zu verleugnen, und wie sich daraufhin die Makkabäer gegen ihre Unterdrücker erhoben, das Joch der Tyrannei des Antiochos Epiphanes abschüttelten und Jerusalem befreiten. Er erzählte auch, als der heilige Leuchter wieder angezündet werden sollte, habe man bemerkt, daß nur noch ein einziger Krug Öl übriggeblieben war, und wie durch ein Wunder brannte der Leuchter mit dieser einen Tagesration eine ganze Woche lang, bis neues heiliges Öl in den Tempel gebracht wurde.

So wie mein Vater in seiner völligen Verwirrung hat wohl mancher Jude plötzlich irgendein winziges Element entdeckt, das ihn der gemeinsamen Vergangenheit näherbrachte, eine Geschichte aus der Kindheit, die schon lange in Vergessenheit geraten war und die er nun plötzlich mit zögernd-zaghaftem Blick durchforschte.

In Krisenzeiten wühlt man in den Tiefen der Erinnerung, um hier irgendeine Spur der Vergangenheit zu finden, nicht die Vergangenheit des ohnmächtigen, vergänglichen Individuums, sondern die Vergangenheit der Gemeinschaft, von der man sich zwar gelöst hat, die aber dennoch Fortbestand und Dauer verkörpert.

Es ist einmal gesagt worden, Jude zu sein bedeute, von Generation zu Generation eine Geschichte weiterzuerzählen, deren Umrisse im ungewissen zerfließen. Während des Krieges ein jüdisches Kind in Néris zu sein, bedeutete, die Chanukkah-Geschichte in tiefstem Schweigen und ohne irgendeine Frage anzuhören. Die gewohnten Bemerkungen und Scherze, die die wachsende Angst nicht mehr verbergen konnten, waren einer Erzählung gewichen, von der ich zwar nur die wichtigsten Fakten begriff, doch gerade die äußeren Umstände jenes Abends bewirkten, daß diese Chanukkah-Geschichte im Laufe der Jahre noch viele Fragen für mich aufwarf. Im übrigen mag das Wesentliche einer Tradition, ihre letzte Rechtfertigung durchaus darin bestehen, in dem

Moment, wo kein Ausweg, keine Zuflucht mehr erkennbar sind, Trost zu spenden, ein Stückchen Traum, einen kurzen Augenblick der Illusion herbeizuzaubern.

Im Juli 1942 begann in beiden Teilen Frankreichs die Festnahme der ausländischen Juden. Vor diesem Zeitpunkt hatten die Deutschen mit Transportschwierigkeiten zu kämpfen, da man das gesamte rollende Material für die Offensive im Osten requiriert hatte. Ende Juni jedoch konnte die Wehrmacht genügend Züge bereitstellen, so daß alle zwei Tage ein Judentransport Frankreich verließ. Der ursprüngliche Plan sah die Deportation von hunderttausend Juden vor, fünfzigtausend aus der besetzten, fünfzigtausend aus der freien Zone Frankreichs, doch eine Operation dieses Ausmaßes konnte nur mit der aktiven Unterstützung der französischen Polizei stattfinden. Die Einzelheiten der Verhandlung zwischen dem SS-Brigadeführer Oberg und dem Ministerpräsidenten der Vichy-Regierung Laval sind bekannt. Um die französischen Juden zu retten, forderte Laval, daß bei der ersten Deportationswelle nur ausländische Juden erfaßt werden sollten, und sagte seinerseits eine aktive Beteiligung der französischen Polizei bei der geplanten Operation zu; Laval schlug übrigens den Deutschen vor, auch Kinder zu deportieren.

Am 16. Juli 1942 begann in Paris die große Razzia: Ungefähr dreizehntausend ausländische Juden, darunter viertausend Kinder, wurden im Vel-d'Hiv zusammengepfercht. Schon am 20. Juli ließ Eichmann wissen, daß in den Transporten, die noch vor Ende August nach Osten abgehen sollten, genügend Platz für die Kinder sei.

Einige Tage später gingen die ersten Transporte mit Deportierten aus der freien Zone über die Demarkationslinie. Die Vichy-Regierung lieferte zunächst die schon internierten fünftausend ausländischen Juden aus, im August wurden dann weitere siebentausend verhaftet. Tief erschreckt über diese schnelle Entwicklung, beschlossen meine Eltern, mich um jeden Preis zu verstecken. Doch welchen Ort wählten sie in ihrer Verwirrung? Ein Kinderheim in der Nähe von La Souterraine im Departement Creuse, ein jüdisches Kinderheim ...

Pascal Delaume, der Direkter der Gemeindeschule, übernahm es, mich dorthin zu bringen. Wir fuhren zunächst mit dem Zug, dann mit dem Bus, und an einem strahlenden Augustmorgen erreichten wir ein freundliches Heim, das überall von Teichen mit blühenden Seerosen umgeben war.

Als mein Koffer untergebracht war, machten Monsieur Delaume und ich bis zur Abfahrt des Busses einen Spaziergang um die Teiche. Beide hatten wir in greifbarer Nähe die herrlichen weißen Blüten bemerkt. Der gute Monsieur Delaume wollte eine von ihnen pflücken, näherte sich vorsichtig dem Wasserrand, rutschte plötzlich aus und versank mit beiden Füßen im Schlamm. Der Vorfall nahm ohne böse Folgen und ohne Seerosen ein Ende, doch meine ich gesehen zu haben, daß unser guter Direktor, dessen schwarze, glatte Haarpracht sich plötzlich auf dem kugelrunden Schädel verschoben hatte, eine Perücke trug.

Warum verweile ich so eingehend bei derartigen Einzelheiten? Weil Pascal Delaume, dieser ruhig-väterliche Freund, der sich zweifellos schon den Fünfzigern näherte und wegen seiner rundlichen Statur, der Perücke und seiner Ungeschicklichkeit ein wenig lächerlich wirkte, für mich zum Symbol der Rechtschaffenheit schlechthin geworden ist: Er kannte uns kaum, und die Klugheit mußte ihm auf jeden Fall gebieten, sich passiv zu verhalten. War es also nötig, gerade als die Razzien begannen, als die Polizei wachsamer war als gewöhnlich, diese Reise zu unternehmen und jeden Moment zu riskieren, in eine Kontrolle zu geraten oder sich zumindest schweren Unannehmlichkeiten auszusetzen? War es nötig, einen Schritt zu tun, während alle anderen sogar mit Blicken geizten? Lieber Pascal Delaume, in Néris kam ich nur bis zur Mittelstufe, ich war nicht in Ihrer Klasse, doch Sie werden mir immer ein Beispiel und ein ferner Freund bleiben.

Seltsam, wie in der Erinnerung manches wieder auflebt. Ein Sommermorgen von vollkommener Klarheit, gleichzeitig aber eine dumpfe Angst, Angst, die zwar nicht erkennbar, aber dennoch da war, die in allen Ecken lauerte.

Nach außen hin herrschte im Heim eine sorglose Ferienstimmung. Vom frühen Morgen an fanden sportliche Wettkämpfe statt. Ungefähr hundert Kinder, Jungen und Mädchen, liefen, sprangen, schwammen um die Wette oder spielten Ball. Überall nur freudiges Geschrei und Lachen.

Zum ersten Mal seit Montmorency war ich wieder unter jüdischen Kindern, doch diese hier habe ich in ganz anderer Erinnerung. Trotzdem empfand ich sofort den eindeutig jüdischen Charakter dieser Kolonie, der sich vor allem im Aussehen, den Blicken, auch Namen wie Sigi, Isi, Manek zeigte. Für mich waren das damals unbekannte Klänge, und wenn ich sie heute immer wieder höre, so muß ich unwillkürlich an jenen unvergeßlichen Augustaufenthalt zurückdenken. Doch vor allem waren da die Lieder.

So gegen fünf Uhr nachmittags, wenn die Sieger ihre Preise erhalten hatten, versammelte man sich zum gemeinsamen Kaffeetrinken in dem großen Speisesaal im Erdgeschoß. Mehrere Erzieher waren bei uns, einer von ihnen hatte ein Akkordeon. Nach dem Kaffeetrinken begann er zu spielen, und sogar ich – so fremd mir dies alles war – spürte, wieviel Sehnsucht, Schönheit, Melancholie von diesen jiddischen Liedern ausging, von jener Welt, deren Ausdruck sie waren und die in diesem Augenblick für immer unterging.

Nach wenigen Minuten schon drängte sich das gesamte Personal des Hauses in den Türen des Speisesaals, und alle sangen die Refrains oder die bekanntesten Stellen mit. Auch ich erkannte allmählich die Melodien:

Tschiri bum, bum, bum
Tschiri bum, bum, bum ...

Das Abendessen verlief heiter, und da es für alle ein langer Tag gewesen war, gingen wir bald zu Bett.

An jenem Tag machte mich der Gedanke, meine Eltern verlassen zu haben, nicht traurig, denn ich wußte, sie waren in Néris, und ich glaubte nicht an eine wirkliche Trennung. So schlief ich abends mühelos ein.

Heftiger Lärm weckte uns gegen zwei oder drei Uhr morgens, und in wenigen Augenblicken drängelten sich Kinder in Pyjamas im Flur der oberen Etage, wo die Schlafräume lagen. Unten in der Eingangshalle eilten behelmte Gendarmen hin und her. Draußen war Motorengeräusch zu hören: Die Fahrer der Lastwagen hatten sich gar nicht erst die Mühe gemacht, den Motor abzustellen; sie waren wohl überzeugt davon, daß alles sehr schnell gehen würde, oder aber sie waren sich der einschüchternden Wirkung dieser Geräuschkulisse bewußt.

Jemand verlas eine Namensliste: Wer aufgerufen wurde, mußte sich schnell anziehen. Alle Kinder über zehn Jahren wurden mitgenommen, und wenig später schon waren sie in zwei Reihen in der Halle aufgestellt. Am nächsten Tag, so kündeten die Gendarmen an, werde man die anderen holen.

Am folgenden Abend waren wir alle im Speisesaal versammelt: Die Großen, zu denen ich gehörte, hielten die Kleinen an der Hand. Der Junge neben mir war höchstens fünf Jahre alt; seinen Namen habe ich vergessen, doch erinnere ich mich, daß seine Nase lief, daß er schrecklich schielte und für sein Alter viel zu traurig und gefaßt aussah. Einer der Erzieher ermahnte uns, tapfer zu sein und vor allem ganz leise zu marschieren. Er fügte etwas hinzu, was mir heute noch seltsam vorkommt; er sagte nämlich, wenn wir uns im Wald versteckten, würden wir der Roten Armee bei ihrem Kampf helfen. Vielleicht wollte er uns wenigstens für eine Nacht etwas vom Heldenmut der Partisanen einflößen, die ebenfalls im Wald schliefen, und so gleichzeitig für Ruhe und Disziplin sorgen. In diesem Moment öffnete sich die Saaltür, eine Frau trat ein, und als sie die aufbruchbereite Kinderschar sah, schlug sie die Hände vors Gesicht und brach plötzlich zusammen.

Paarweise zogen wir los. Der Marsch verlief ohne Zwischenfälle. Kein Geräusch war zu vernehmen; ich hörte nur, wie die Kieselsteine unter unseren Füßen knirschten und wie der kleine Junge neben mir von Zeit zu Zeit die Nase hochzog. Wir gingen in den Wald hinein bis zu einer Lichtung, dort befahl man uns zu halten, da wir hier die Nacht verbringen sollten.

Ich schlief nicht. Ich war mir der Gefahr überhaupt nicht bewußt, ganz im Gegenteil: Der laue Wind, die rauschenden Bäume, die leichten Wolken, die hin und wieder die Sterne verhüllten, all dies erfüllte mich mit Wohlbehagen.

Kamen die Gendarmen wieder? Ich weiß es nicht, denn am nächsten Tag kam Frau Fränkel, und zusammen kehrten wir nach Néris zurück.

2. August 1977

Was ist aus den Kindern von La Souterraine geworden? Bis zum heutigen Tage habe ich nicht versucht, dies in Erfahrung zu bringen.

Wir Juden errichten Mauern um unsere quälendsten Erinnerungen und um die furchterregendsten Perspektiven, sogar der detaillierte Bericht dient manchmal nur der Verdunkelung. Diese notwendigen Schutzmaßnahmen sind Teil unserer tiefen Neurose.

N. G. hat mich besucht: Sie arbeitet an einer Dissertation über »Die Todeswahrnehmung bei Kindern aus der

Schweiz und aus Israel«. Hunderten von Kindern beider Länder zeigt sie eine Reihe von Bildern und fordert sie auf, diese zu deuten und zu kommentieren. So zum Beispiel die beiden folgenden Bilder: Tiere mit erschreckten Augen fliehen vor riesigen Flammen; ein Friedhof mit Gräbern, die keinerlei religiöses Zeichen tragen. Das Schweizer Kind erkennt auf dem ersten Bild eine tödliche Gefahr und auf dem zweiten einen Friedhof, das israelische Kind behauptet, meistens, die Tiere würden spielen und das andere Bild zeige einen Park ...

Ich war in Jerusalem, als dort die Gedächtnisfeierlichkeiten zum fünfundzwanzigsten Jahrestag des Aufstands vom Warschauer Ghetto stattfanden. Abends hörten wir eine Radiosendung über das einstige Leben im Ghetto. Einer der Entkommenen erzählte folgende Szene: Es ist Nacht. Draußen ist Sperrstunde. Die Straßen sind leer. Im Schein einer Petroleumlampe sitzt er in einem Zimmer und betrachtet ein Stück Brot. Wird er es sofort essen oder für morgen aufheben? Plötzlich vernimmt er einen langgezogenen, doch unverständlichen Ruf, der aus der einsamen Straße zu ihm heraufdringt. Er beugt sich aus dem Fenster. Der Ruf ertönt von neuem. Zunächst kann er nichts erkennen, dann sieht er eine Gestalt, die mühsam näherkommt: ein Kind. Und das Kind stößt einen immer schwächer werdenden Schrei aus: »A Stikl Broit«, ein Stück Brot! Nun ist es unter dem Fenster des Erzählers; da entschließt sich dieser: er nimmt das Stück Brot, über das er so lange und begehrlich nachgedacht hat, beugt sich aus dem Fenster, ruft das Kind und wirft ihm das Brot zu. Das Kind liegt auf dem Pflaster, das Brot fällt neben ihm zu Boden; das Kind rührt sich nicht. »Streck die Hand aus, da nach rechts!« Das Kind rührt sich immer noch nicht. »Sieh doch, heb den Kopf, neben dir liegt Brot!« Das Kind bewegt sich nicht. Der Monolog dauert noch einige Sekunden, und plötzlich hat der Erzähler begriffen: das Kind ist tot.

Die Erzählung hatte uns bewegt. Am nächsten Tag sprachen wir mit diesem und jenem darüber. Jeder hatte sie gehört, kommentarlos.

»Ist es denn möglich«, sagt Hagith, »daß der Erzähler fünfundzwanzig Jahre danach immer noch nicht begriffen hat, was er hätte tun sollen? Und das seltsamste daran ist wohl, daß niemand von all jenen, die hier in Israel diese Geschichte gehört haben, dies begriffen hat.«

»Was willst du damit sagen?«

»Ja siehst du es denn auch nicht? Statt das Brot hinunterzuwerfen und dann vom Fenster aus Anweisungen zu geben, hätte der Erzähler hinunterlaufen müssen, die Tür öffnen und das Kind in seine Arme nehmen ...«

Wenige Tage nach meiner Rückkehr nach Néris spielte sich jene letzte Szene unseres gemeinsamen Lebens ab, die mir im Gedächtnis geblieben ist. Alle drei waren wir im selben Zimmer, es war dunkel, und aus irgendeinem Grund brannte nur eine Nachttischlampe. Meine Mutter packte die Koffer: einen, den ich mitnehmen sollte, zwei oder drei für meine Eltern; alles andere, was wir von Prag mitgebracht hatten, sollte bei Freunden deponiert werden. Dieses Mal ließ mein Vater seine Bücher zurück (bis auf eins – ich weiß nicht mehr welches), ebenso viele Kleidungsstücke, die mir alle vertraut waren. Damals konnte ich nicht ahnen, daß ich nach dem Krieg dieselben nur ein wenig geänderten Sachen tragen sollte. Ich muß wohl ziemlich grotesk darin ausgesehen haben, wie das so ist, wenn Jugendliche bestimmte Kleidungsstücke von Erwachsenen tragen, die inzwischen völlig aus der Mode gekommen sind. Doch das war gut so: Diese dem Zufall überlassenen Kleidungsstücke, die durch Zufall wiedergefunden und dann von neuem getragen wurden, wurden zum äußeren Zeichen einer Kontinuität, die eben einer grotesken Seite nicht entbehrte.

Meine Mutter legte sorgfältig Hemden und Anzüge zusammen. Heute scheinen mir diese drei verschiedenen Kleiderstapel das endgültige Auseinanderbrechen unserer Familie zu symbolisieren, doch zum Symbol werden die toten Gegenstände immer erst dann, wenn die Ereignisse längst vergangen sind.

Ich erinnere mich, daß mein Vater sagt: »Meltzer hat im Radio gehört, daß die Deutschen in Stalingrad eingedrungen sind.« Meine Mutter hielt mit ihrer Arbeit inne und setzte sich auf das Bett: Ich ging zu ihr. Alle drei betrachteten wir die offenen Koffer, und das glänzende Leder, die unzerbrechlichen Beschläge und das stolze Monogramm »J.F.« schienen eine ironische Erinnerung an die Vergangenheit zu sein.

Am selben Tag noch, an dem ich nach La Souterraine abgereist war, hatte meine Mutter an Madame M. de L. geschrieben:

»In meiner großen Not und Verzweiflung wende ich mich heute an Sie, denn ich weiß durch meinen Mann, daß Sie Mitleid mit uns haben und Verständnis für unser trauriges Schicksal.

Durch eine große Gnade Gottes gelang es uns, unseren Buben, wenigstens für den Moment, zu retten . . . Ich möchte ihn dort nicht lassen, denn man kann heute zu einer jüdischen Institution kein Vertrauen mehr haben.

Meine große, innige Bitte an Sie, gnädige Frau, ist nun, sich unseres Kindes anzunehmen und ihm, bis zum Ende dieses furchtbaren Krieges, Ihre Patronage angedeihen zu lassen. Wie er am besten zu schützen ist, weiß ich nicht, habe aber vollstes Vertrauen zu Ihrer Klugheit und Güte.

Meines Mannes und mein Schicksal liegt nur mehr in Gottes Händen. Wenn Er will, daß wir durchkommen, so werden wir das Ende dieser grauenhaften Zeit erleben.

Wenn wir zugrundegehen müssen, so haben wir das eine große Glück, unser geliebtes Kind gerettet zu wissen.

Der Junge ist sehr reichlich versorgt mit Kleidern, Wäsche und Schuhen, und auch Geld ist genug für ihn da. Ich werde alles bei Ihnen deponieren, wenn Sie die unbeschreibliche Güte haben, mir ›ja‹ zu sagen.

... Legal können wir nicht mehr existieren ...«

Der Brief war auf zwei verschieden große Blatt Papier und streckenweise ziemlich undeutlich geschrieben, und meine Mutter hatte zum Schluß noch hinzugefügt:

»Bitte verzeihen Sie die Form dieses Briefes, meine Hände gehorchen mir nicht mehr.«

Abbé Bonnet*, ein alter Pfarrer mit bürstenartig kurz geschnittenen, weißen Haaren, die fast blinden Augen hinter riesigen Brillengläsern versteckt, holte mich in Néris ab. Dort, wo dieser gutmütige und liebenswürdige Mann mich hinführte, lernte ich eine völlig neue, streng katholische Welt kennen, ein fast royalistisches, leidenschaftlich petainistisches, traditionsgemäß antisemitisches Frankreich, die Welt der Sodalitäts-Damen, die eine Seele retten wollten, sich aber auch ernsten Gefahren aussetzten, da es die Seele eines jüdischen Kindes war.

Erstaunlich, wie das Gedächtnis funktioniert: Das Unerträgliche wird ausgelöscht, oder es versinkt vielmehr, das Alltägliche tritt in den Vordergrund. Nur eine einzige klare Erinnerung ist mir von diesem ersten Moment des Übergangs in eine neue Welt geblieben: die Häßlichkeit der Stadt, die Trostlosigkeit dieser Industriezone mitten im Bourbonnais, Montluçon genannt. Und dazu noch die Erinnerung an schönes Wetter. Einer Stadt wie Montluçon ent-

* Alle Namen, die im Zusammenhang mit meinem Aufenthalt in Montluçon, im Departement Indre und in Schweden genannt werden, sind erfunden.

strömt bei Sonnenschein eine ganz besondere Traurigkeit. Manche Gegensätze lösen heftige Gefühle aus; dieser hier rief in mir ein vages Angstgefühl hervor. Doch sicher hat sich hier nur die erste Erinnerung an eine normal häßliche Stadt mit der Angst vor der Trennung verbunden.

Als ich das Tor von Saint-Béranger, dem Internat der Sodalität, durchschritt, wo ich nun künftig leben sollte, wurde ich ein anderer: Ich hieß nun Paul-Henri Ferland – ein Name von zweifelsfreier Herkunft, dem bei meiner Taufe außerdem noch Marie hinzugefügt wurde; alles sollte wohl besonders echt erscheinen, oder aber man wollte den Schutz der Jungfrau für mich erflehen, jener himmlischen Mutter, die sicher ist vor allen Stürmen und weniger verletzlich als die irdische Mutter, die in diesem Augenblick schon vom Strudel mitgerissen wurde.

Wenn ein Erwachsener konvertiert, so kann dies eine rein formelle Angelegenheit sein, und dies kam während des Krieges häufig vor, oder aber es ist eine freiwillige Entscheidung, der eine geistig-seelische Entwicklung vorausgegangen ist; nichts verschwindet, aber alles wandelt sich: Die neue Identität läßt dann die frühere Existenz als eine Vorform oder Vorbereitung der neuen erscheinen. Die Abkehr von der Vergangenheit, die man von mir verlangte, war weder eine reine Formangelegenheit – denn mein Vater hatte nicht nur meiner Konversion zugestimmt, sondern sich auch bereit erklärt, mich katholisch zu erziehen, wenn das Leben wieder seinen normalen Lauf nehmen sollte – und schon gar nicht das Ergebnis einer geistig-seelischen Entwicklung. Meine ersten zehn Lebensjahre, die Erinnerungen an meine Kindheit mußten verschwinden, denn zwischen dem, was ich gewesen war, und dem, was ich werden sollte, war keine Synthese möglich.

Für die Direktorin von Saint-Béranger hatte mein Vater folgenden Brief verfaßt: »Mit großer Freude habe ich von Madame M. de L. erfahren, daß Sie bereit sind, meinen einzigen Sohn bei sich aufzunehmen ... und ihn im katholischen Glauben zu erziehen.

Voll Dankbarkeit gebe ich meine Einwilligung und die formelle Zustimmung zu seiner Taufe. Wir, meine Frau und ich, versprechen Ihnen, in Ihrem Sinne weiterzuwirken, sobald der Wille Gottes und die äußeren Umstände es uns erlauben, selbst wieder über seine Erziehung zu wachen.«

Ich verstehe den Brief meines Vaters: Hätte ich in jener Lage, angesichts jener Tragödie nicht dasselbe geschrieben, ebenfalls meine Zustimmung gegeben, dieselben Versprechungen gemacht? Ich habe nie erfahren, ob man diese Versprechungen ausdrücklich verlangt hatte; gut möglich. In diesem Punkt waren meine Eltern mit sich im reinen, denn von nun an gab es für sie nur noch ein Ziel, nur noch einen Imperativ: die Rettung ihres Kindes. Und angesichts so großer Verzweiflung sage ich mir: Es war ein Glück, nicht nur für mich, sondern für sie, daß keine religiöse Fessel sie hinderte, daß sie diesen Schritt taten, ohne von Zweifeln oder Schuldgefühlen geplagt zu werden. Doch was hätte ein religiöser Jude in einer so furchtbaren Zwangslage getan?

Am Tage nach meiner Ankunft wurde ich ernst und feierlich von der Direktorin Madame Dutour empfangen: »Mein lieber Junge, deine Eltern haben dich uns anvertraut. Du mußt tüchtig arbeiten und schnell den Katechismus lernen, damit der kleine Jesus dich bald zu den Seinen zählen kann. Hier ist ein Blatt mit dem *Vater Unser* und *Gegrüßet seist du Maria;* du wirst mir beides morgen aufsagen. Madame Chapuis wird dich auf die Taufe vorbereiten, und sie wird auch deinen Stundenplan festlegen. Geh also schnell zu ihr und vergiß nicht, deine Gebete zu lernen.«

Unterdessen suchten meine Eltern verzweifelt nach einem Versteck. Mein Vater, dessen Geschwür sich zusehends verschlimmerte, wurde ins Krankenhaus in Montluçon aufgenommen. In ihrem Brief an Madame M. de L. hatte meine Mutter noch geschrieben:

»... Für meinen Mann, wenn man ihn eine Weile im Krankenhaus läßt, muß ich eine Unterkunft haben, bis er kommt und auch für mich ... Hier, wo ich jetzt bin, kann ich nur mehr wenige Tage bleiben. Ich glaube, das richtige wäre eine Ferme in der Umgebung von Néris. Es müßten natürlich verläßliche Menschen sein und andererseits besser arme Leute, denen man materiell für ihren Dienst etwas bieten kann. Die Umgebung von Néris ist deshalb wichtig, weil ich in Néris Freunde habe, die mir die nötigen Lebensmittel liefern würden ... Ich weiß nicht, wie ich allen Menschen danken soll, die uns in unserer großen Not helfen. Es ist ein solcher enormer Trost für uns, soviel Güte und Hilfsbereitschaft bei unseren Freunden zu finden ...«

Meine Mutter fand keinen Bauernhof in der Umgebung von Néris. Man erlaubte ihr, einige Tage bei meinem Vater im Krankenhaus zu bleiben, doch dann sollten sie es beide verlassen. Das Netz zog sich zusammen; es gab nur noch eine Chance: über die Grenze zu gehen und in die Schweiz zu fliehen. Und auf diesem gefährlichen Weg konnte ich sie nicht begleiten. Das Risiko war zu groß. Selbst in Montluçon war ich womöglich nicht mehr sicher genug. Am 3. September schrieb mein Vater an unsere Beschützerin:

»Ich habe gestern erfahren, daß die Direktorin des Instituts die Absicht hat, Paul dort zu behalten, damit er eine Mittelschulausbildung erhält; er soll jetzt schon für die höhere Schule vorbereitet werden. Ich bin der Direktion dankbar dafür, doch angesichts der derzeitigen Umstände habe ich nicht den Ehrgeiz, aus Paul einen Gymnasiasten zu machen. Sicher werden Sie verstehen, daß wir uns an die Hoffnung klammern, unser Kind in einem eher ländlichen Milieu aufwachsen zu sehen, wo vor allem Wert auf die physische Entwicklung gelegt wird. Er findet da vielleicht weniger Wissenschaft, doch wahrscheinlich mehr von jener weiblichen Zärtlichkeit, die er jetzt so dringend braucht. Und er wird sicher auch dort Gelegenheit haben, sich auf das Abgangszeugnis vorzubereiten. Aus diesen Gründen waren wir froh, daß Sie das Heim im Département Indre als künftige Bleibe für ihn bestimmt hatten, und wir bitten Sie daher inständigst, bei der Direktion in Montluçon darauf zu dringen, daß Paul so bald wie möglich in das andere Heim gebracht wird. Unser armer Junge hat in diesen letzten Tagen sehr gelitten. Die friedliche Landschaft und eine ruhige, liebevolle Umgebung werden eine beruhigende Wirkung auf ihn haben und seiner kindlichen Seele helfen, alles zu vergessen. Ich brauche Ihnen nicht zu sagen, wie glücklich ich wäre, wenn ich mit Ihnen sprechen und Ihre Meinung hören könnte. Doch ich weiß, daß Sie kurz vor der Abreise stehen, und wer weiß, was aus uns geworden ist, wenn Sie zurückkommen. . .«

»Unser Junge hat in diesen letzten Tagen sehr gelitten«, schrieb mein Vater. Das stimmte. Wenn ich mich auch an die Ankunft in Montluçon nur noch undeutlich erinnere, so haben sich doch die ersten Tage in Saint-Béranger tief in mein Gedächtnis eingegraben.

Die Zöglinge von Saint-Béranger wurden in einem selbst für die damalige Zeit äußerst strengen Katholizismus erzogen und stark dazu ermuntert, Priester zu werden. Ich erinnere mich, daß ich in diesem fremdartigen, neuen Milieu in der ersten Zeit völlig verzweifelt war.

Da ich noch ein kleiner Heide war, wurden meine Kontakte mit den anderen Kindern zunächst auf ein Minimum beschränkt. Im übrigen war es schon aus Gründen der Klugheit besser, mich abzusondern, um mich vor der feindlichen Haltung einiger meiner neuen Kameraden – vor allem vor dem Lothringer Gilbert – zu schützen. Kurz und gut, ich machte noch einmal die gleichen Erfahrungen wie in Montmorency, doch dieses Mal ganz im normalen Sinn der Geschichte.

Ich wurde im Katechismus unterwiesen, sonst tat ich fast nichts. Und da ich im Arbeitssaal noch keinen festen Platz hatte, verbrachte ich einen großen Teil des Tages im Besuchszimmer. Hier in diesem kleinen, fast immer leeren Zimmer stand ich stundenlang am Fenster und starrte auf die von einigen Pflanzen umrahmte Terrasse und hinunter auf den staubigen Hof; als es eines Nachmittags regnete, war das eine Ablenkung, ja eine Erleichterung.

Neben unserem Haus in Néris hatte ein kleiner Schuppen gestanden, in dem die Fahrräder untergebracht waren. Dort hockte ich gern und sah in den Regen. An einem Nachmittag kam meine Mutter, die gerade von irgendeiner Arbeit nach Hause zurückkehrte, zu mir in den Schuppen. Wir saßen auf einem dicken Dunlop-Autoreifen, der dort zufällig herumlag und sicher aus der Fabrik in Montluçon stammte, und zusammen schauten wir auf den grauen Vorhang draußen und hörten dem sanft plätschernden Regen zu. Meine Mutter hatte ihren Korb mit irgendwelchen Einkäufen neben sich gestellt, und in der Hand hielt sie ein ganz feuchtes Platanenblatt. Es war schon herbstlich gerötet und vergoldet, und ich würde es trocknen und in einem Buch pressen können ... In Montluçon war es nach wenigen Stunden wieder schön.

Alles erstickte mich: die strenge Disziplin, die ewigen Gebete, von denen ich kein Wort verstand, der trostlose Anblick des düsteren Gebäudes und schließlich das Essen, vor dem ich mich ekelte. Ich weiß nicht warum, aber ich bildete mir ein, das gummiartige Fleisch, das man uns am Tage nach meiner Ankunft vorgesetzt hatte, sei Katzenfleisch gewesen.

Dieses »Katzenfleisch« und die allgemeine Verwirrung, in der ich mich befand, hatten etwas höchst Klägliches zur Folge, was dem allen einen grotesken Anstrich gab und mein Unglück nur noch vergrößerte. In der zweiten Nacht in Saint-Béranger bekam ich einen fürchterlichen Durchfall, ich glaube, ich bin wohl gut zwanzigmal aufgestanden. Am nächsten Morgen wurden wir alle auf Diät gesetzt, denn man konnte sich einfach nicht vorstellen, daß ein Kind allein an dieser nächtlichen Lauferei schuld sein sollte. Auf Anhieb errang ich eine zweifelhafte Berühmtheit.

Doch alles, was mit mir geschah, drang nur wie durch einen Filter zu mir; ein einziger Gedanke, eine einzige Sehnsucht, ein einziger heftiger Wunsch beherrschte meine gesamte zehnjährige Existenz: Ich mußte unbedingt zu meinen Eltern! Weit mehr als Verzweiflung oder Heimweh, war dies gewissermaßen ein physisches Bedürfnis, dem sich nichts in den Weg stellen konnte. Nach La Souterraine war ich ohne Traurigkeit gegangen, doch nun fühlte ich mit dem unerklärlichen Instinkt des Kindes, daß diese Trennung womöglich endgültig sein würde, wenn es mir nicht gelänge, zu meinem Vater und meiner Mutter zurückzukehren, ehe diese das Krankenhaus in Montluçon verließen.

Ich beschloß zu fliehen.

In der Pförtnerloge, die ihr Bruder betreute, unterwies mich Madame Chapuis im Katechismus. Ich konnte also in aller Ruhe den kleinen Eingangshof von Saint-Béranger und das Tor, das auf die Straße führte, beobachten, doch andererseits flößte mir die Person des Bruders Chapuis Angst ein. Ich war überzeugt davon, daß dieser einäugige und hinkende Zerberus, der im übrigen der sanfteste und harmloseste Mensch von der Welt war, meine Pläne durchschaut hatte und mir im letzten Moment eine Falle stellen würde. Verfolgt von den hinkenden Schritten des Zyklopen, fuhr ich nachts im Schlaf auf, und beim Katechismus-Unterricht verschwand die Apostolische Römisch-Katholische Kirche in nebelhafter Ferne, sobald mich das blinde und entstellte Auge des Pförtners traf.

Trotz meiner Angst setzte ich mich am frühen Nachmittag des ersten Sonntags in Saint-Béranger, als alles ruhiger als gewöhnlich war, auf die Bank im Eingangshof und wartete mit möglichst unbeteiligter Miene darauf, daß Chapuis die Pförtnerloge verließ. Gegen drei Uhr ging er. Ich flitzte zum Tor, öffnete es einen Spalt, und draußen war ich.

Die Flucht war mir geglückt, doch wo war das Krankenhaus? Ein zehnjähriges Kind findet schon den Weg, es fragt sich durch. Vielleicht waren die Leute, die ich ansprach, ein wenig erstaunt, daß ein so kleiner Junge so schnell und ganz allein zum Krankenhaus rannte. Aber wunderte man sich damals überhaupt noch über irgend etwas?

Bei der Auskunft fragte ich nach dem Zimmer meiner Eltern. Man wies mir den Weg. Bis zum heutigen Tag kann ich immer noch nicht begreifen, warum sich meine Eltern unter ihrem eigenen Namen versteckten. Oder sollte ich ihren Decknamen völlig vergessen haben? Und außerdem, wie hätte ich ihn wissen sollen?

Ich stieg in den vierten Stock, öffnete die Tür und warf mich meiner Mutter in die Arme.

Es gibt Erinnerungen, die man mit niemandem teilen kann, so groß ist der Unterschied zwischen dem, was sie uns selbst bedeuten, und dem, was andere darin sehen könnten. Sicher waren es ganz alltägliche Worte, die in diesem Krankenzimmer gewechselt wurden: flehende Bitten eines Kindes und Versprechungen der Erwachsenen.

Ich saß auf dem Schoß meiner Mutter und hatte die Arme um ihren Hals gelegt. Ich weinte. Alles in diesem Zimmer war weiß, von jener kalkweißen Farbe der Kankenhäuser. Mehrere Betten standen im Zimmer, doch im Moment, als ich kam, waren sie leer. Das Zimmer ging auf einen Balkon, der um den ganzen Stock herumlief und die einzelnen Zimmer miteinander verband. Von dort kam mein Vater zu uns herein.

In dem allgemeinen Weiß ringsherum hoben sich die Geranientöpfe am Balkongeländer als rote Flecken ab. Auf unserem Fensterbrett in Néris hatten wir ebenfalls Geranien gehabt. Meine Mutter und ich pflegten sie. Wir gossen sie liebevoll und vorsichtig. Wenn der Winter kam, hieß es, sich vor den Frösten in acht zu nehmen, doch welche Freude, wenn sich die ersten Knospen öffneten!

Auf dem Balkon standen Liegestühle und ein kleiner Tisch, auf dem nichts als Briefpapier, ein Tintenfaß und ein Federhalter zu sehen waren: kein Wollknäuel, keine Stricknadeln. In Néris hatte meine Mutter abends immer gestrickt. Sie hatte mir einen Pullover, einen Schal und Fausthandschuhe gestrickt, denn – sagte ich es schon? – im Winter war es sehr kalt, und alle Kinder hatten Frostbeulen. Seitdem der Krieg zu Ende ist, scheint es seltsamerweise keine Frostbeulen mehr zu geben. Ich weiß nicht, wie meine Mutter zu der Wolle gekommen war, auf jeden Fall war der Pullover, den sie mir strickte – und den ich nach Montluçon mitnahm – weiß mit roten Querstreifen; auch die Handschuhe waren buntgestreift. Alles sollte hübsch aussehen, so wollte es meine Mutter.

Mein Vater war an jenem Tag noch bleicher als sonst, er war schlecht rasiert und ging ständig auf und ab. Obgleich es sehr mild war, trug er eine hellbraune Wolljacke mit einer schmalen blauen Borte am Ärmelaufschlag. Ein Arzt trat ein und ging mit meinem Vater auf den Balkon. Ich sah, wie mein Vater den Kopf schüttelte; der Arzt ging, und mein Vater kam ins Zimmer zurück.

Im Flur und auch auf dem Balkon, vor den Nachbarzimmern, waren Stimmen zu hören. Besuchszeit. Hin und wieder lachte jemand. Langsam wurde es dämmerig.

Mein Vater und meine Mutter sprachen beide abwechselnd. Immer wieder versicherten sie mir, daß unsere Trennung nur kurz sein werde. In der Zwischenzeit war es absolut erforderlich, daß ich nach Saint-Béranger zurückkehrte. Nein, ich durfte sie nicht begleiten: warum, konnten sie mir nicht erklären, doch war es besser so. Bald würden wir wieder zusammen sein. Außerdem werde der Krieg bald zu Ende sein, und wir würden nach Prag zurückkehren; dann könnten uns alle ... Und meine Mutter gebrauchte einen ziemlich vulgären tschechischen Ausdruck, wohl um uns alle ein wenig aufzuheitern und um mir zu zeigen, daß überhaupt kein Grund war, traurig zu sein.

Ich spürte sehr wohl, daß sich hinter diesen Worten Angst verbarg: Meine Eltern sprachen mit der ganzen Überzeugungskraft derer auf mich ein, die wissen, daß man ihnen nicht glaubt. In diesem Moment klopfte es.

Man hatte in Saint-Béranger angerufen: Kurz darauf, glaube ich, kamen Madame Chapuis und Madame Robert. Ich mußte gehen. Meine Mutter schloß mich in die Arme, doch mein Vater war es, der mir – ohne es zu wollen – zu verstehen gab, was diese Trennung in Wirklichkeit bedeutete: Er preßte mich an sich und küßte mich. Es war das erste Mal, daß mich dieser so schüchterne Vater küßte. Bisher war noch nichts endgültig; andere Eltern hatten das Risiko auf sich genommen, ihre Kinder mitzunehmen. Meine Eltern hatten mich in Sicherheit gebracht, doch ich war geflohen, ich war zu ihnen geeilt, da ich die Trennung nicht ertrug. Konnte man mich ihnen ein zweites Mal entreißen? Ich klammerte mich an die Gitterstäbe des Bettes. Wie brachten es meine Eltern fertig, meine Hände zu lösen, ohne vor mir in Tränen auszubrechen?

Die Katastrophe und die Zeit haben alles hinweggespült. Was mein Vater und meine Mutter in jenem Moment empfanden, ist mit ihnen verschwunden; was ich fühlte, geriet in Vergessenheit, und von diesem ungeheuren Schmerz ist nur ein Bild in meiner Erinnerung geblieben: Im sanften Herbstlicht geht ein Kind zwischen zwei schwarzgekleideten Nonnen die Rue de la Garde hinunter, die es kurz zuvor in entgegengesetzter Richtung entlanggeeilt ist.

Wenige Tage später verließen meine Eltern Montluçon. In Lyon schlossen sie sich einer Gruppe an, um gemeinsam über die Schweizer Grenze zu gehen. Sie versuchten ihr Glück in der Gegend von Saint-Gingolph. Die Schweizer Polizei wies sie zurück und lieferte sie an die Franzosen aus.

Am 30. September, dem Tag ihrer Festnahme, konnten meine Eltern einen Brief an Madame M. de L. schicken:

»Wir haben nach einer sehr anstrengenden Reise die Schweiz erreicht und wurden abgeschoben. Man hatte uns nicht richtig informiert . . .«

Man hatte uns nicht richtig informiert . . .

Vor einigen Monaten bin ich zum ersten Mal nach Saint-Gingolph gefahren. Ich sah gleich, daß meine Eltern nicht dort versucht hatten, die Grenze zu überqueren, doch wurden sie dann dorthin zurückgebracht. Auf der Landkarte fand ich einen Ort, acht Kilometer von Saint-Gingolph entfernt, in den Bergen: das Dorf Novel. Ich fuhr hin. Ein Einwohner bestätigte mir: Im Herbst 1942 hätte eine jüdische Gruppen versucht, oberhalb von Novel die Grenze zu überqueren. Im Hotel Grammont könne ich außerdem eine Akte und einen genauen Bericht darüber finden.

Ich ging ins Hotel; der Besitzer gab mir die Akte. Ich setzte mich auf die Terrasse. Kein Wölkchen am Himmel, ringsherum Wälder; rechts die Felsen des Grammont-Berges; einige hundert Meter vor mir das Tal der Morge: die Grenze! Ich schlug die Akte auf:

»Novel, Erinnerungen, Rückblicke (1973).« Und auf der folgenden Seite: »Alptraumhafter Aufenthalt. Vom 27. September bis 6. Oktober 1942.« Der Bericht einer Augenzeugin, einer Madame Francken, damals Einwohnerin von Novel. Der Brief meiner Eltern war vom 30. September. Madame Francken hatte alles gesehen, und auf diesen zehn Seiten berichtete sie darüber. Der Bericht schloß mit folgenden Worten:

». . . Wir haben nie erfahren, was aus diesen beiden geworden ist! Da sie noch jung waren (es waren zwei tschechische Juden, Bruder und Schwester), wurden sie sicher zurückgewiesen. Sergeant Arrettaz von Saint-Gingolph tat dies im übrigen mit sadistischer Freude und brachte es so zu trauriger Berühmtheit, während sein Kollege (der Zollbeamte) sich versteckt hielt, um nicht den grausamen Anblick all derer ertragen zu müssen, die direkt an der Grenze der Miliz ausgeliefert wurden. Zwei dieser unglücklichen Menschen haben sich am selben Tag auf der Brücke die Pulsadern aufgeschnitten, und eine Frau (wir haben gesehen, wie sie auf der Haut de Morge verfolgt wurde) hat sich aus dem Fenster ihres im dritten Stock gelegenen Hotelzimmers in Saint-Gingolph gestürzt ...«

Im weiteren Verlauf ihres Berichts schreibt Madame Francken:

»... die Schweiz nimmt Alte, Kranke, Familien mit Kindern auf. Alle anderen werden an der Grenze den Soldaten ausgeliefert!«

Wenn ich meine Eltern begleitet hätte, wären wir dann alle hinübergekommen?

Hier der vollständige Wortlaut des Briefes vom 30. September: »Wir haben nach einer sehr anstrengenden Reise die Schweiz erreicht und wurden abgeschoben. Man hatte uns nicht richtig informiert. Wir erwarten nun unsere Überführung ins Lager von Rivesaltes, wo man in der Ihnen wohl bekannten Art und Weise über unser Schicksal entscheiden wird. Wir haben keine Worte, um Ihnen unser Elend und unsere Verzweiflung zu beschreiben. Außerdem haben wir kein Gepäck mehr. Können Sie sich unseren physischen und psychischen Zustand vorstellen? ... Vielleicht könnte uns eine Intervention in Vichy das Schlimmste ersparen. Es ist nicht das Lager, vor dem wir uns fürchten. Sie wissen das. Wir bitten Sie inständigst, uns zu helfen, wenn Sie nur die geringste Möglichkeit dazu haben. Handeln Sie schnell. Man wird sicher in Vichy eine Lösung finden, die für uns weniger katastrophale Folgen hätte. Vergessen Sie den Kleinen nicht!«

Dann am 3. Oktober kam ein Telegramm aus dem

Lager in Rivesaltes: »Ohne Intervention Innenministerium baldige Abfahrt unvermeidlich. In Freundschaft, Jan Friedländer, 3548 Rivesaltes, Block K.«

Am 5. Oktober schließlich kam der letzte Brief; sie hatten ihn vom Zug aus den Quäkern zugeworfen, die in den Bahnhöfen die Durchfahrt der Deportierten-Transporte erwarteten. Die ersten Zeilen sind mit Tinte geschrieben, die nächsten dann mit fast leerer Feder und hinterher mit Bleistift nachgezogen:

»Madame, ich schreibe Ihnen aus dem Zug, der uns nach Deutschland bringt. Im letzten Moment habe ich einem Vertreter der Quäker 6000 Francs und ein Armband mit Anhängern und einer Dame ein Briefmarkenalbum zur Weitersendung an Sie übergeben. Heben Sie alles für den Kleinen auf und nehmen Sie zum letzten Mal unseren unendlichen Dank und die herzlichsten Wünsche für Sie und Ihre ganze Familie entgegen. Lassen Sie den Jungen nicht im Stich! Gott möge Ihnen alles vergelten und Sie und Ihre ganze Familie segnen! Elli und Jan Friedländer.«

Um welchen Gott handelte es sich?

Zweiter Teil

1

Ich machte gute Fortschritte im Katechismusunterricht, und Anfang Oktober wurde ich in der Kirche Notre-Dame in Montluçon getauft. Kurz darauf erhielt ich die erste Kommunion und siedelte nach Montneuf im Departement Indre über, in jenes Heim, das mein Vater in seinem Brief erwähnt hatte.

So schritt ich irgendwann im Oktober 1942 durch das große Steintor, das in den Innenhof meiner neuen Bleibe führte. Überall in der Umgebung waren die Wege schon mit Bucheckern und Kastanien übersät.

Was Montneuf gewesen war, ehe es in ein Internat verwandelt wurde, könnte ich nicht sagen, ein Kloster vielleicht. Als ich eintraf, kam es mir jedenfalls eher wie ein großer Bauernhof vor: Alles war hier auf das Landleben zugeschnitten. In der Rückerinnerung kann ich nicht umhin, mit einer gewissen Sehnsucht an die behäbigen grauen Gebäude zu denken, die einen weiträumigen Hof mit unregelmäßigem Steinpflaster und einem Brunnen in der Mitte umstanden. Und doch sollte ich gerade hier in Montneuf einen Tiefpunkt erreichen.

Ich hatte nichts von einem Landkind an mir, und unter den Bauernkindern in Montneuf fühlte ich mich noch verlorener als unter den Stadtkindern in Montluçon. Wie gern wäre ich an den Teichen entlanggeschlendert, wie gern hätte ich Blumen gepflückt oder Kastanien gesammelt, statt dessen aber mußte ich graben, harken, in der Tischlerei arbeiten, ja bald auch die Kühe hüten, wovor ich am allermeisten

Angst hatte. Und Mademoiselle Cécile – ihr Vater, so erzählte sie uns, war Feuerwehrmann in Montauban und verbrachte Stunden damit, seinen Helm zu polieren – sagte zu mir: »Paul-Henri, du bist ein Tolpatsch!« Ihrer Meinung nach war meine Zukunft ernstlich gefährdet. Die gute Mademoiselle aus Südfrankreich mit ihrem starken Akzent und dem leichten Anflug eines Schnurrbärtchens konnte ja nicht ahnen, wie sehr ihre pessimistischen Prognosen gerechtfertigt waren.

»Paul-Henri«. Ich konnte mich einfach nicht an diesen Namen gewöhnen. Zu Hause hatte man mich »Pavel«, häufiger noch in der gewöhnlichen Koseform »Pavlíček« oder auch »Gagl« genannt, ganz abgesehen von vielen anderen Kosenamen. Dann in Paris und Néris war daraus »Paul« geworden, was für ein Kind schon nicht mehr dasselbe ist. Als Paul fühlte ich mich schon nicht mehr ganz wie »Pavlíček«, doch »Paul-Henri« war weitaus schlimmer: Ich hatte eine Linie überschritten, war auf die andere Seite übergewechselt. Paul hätte Tscheche und Jude sein können, ein Paul-Henri jedoch konnte nur Franzose und Katholik sein; das zu sein war mir noch nicht natürlich. Im übrigen sollte es nicht bei diesen Namensänderungen bleiben: Bei meiner Ankunft in Israel wurde ich zu »Shaul«, dann als Kompromiß zwischen der französischen Schreibweise »Saül« und dem »Paul«, der ich einst gewesen war, wurde daraus »Saul«. Unmöglich, sich da zurechtzufinden – was mir letztlich nur der angemessene Ausdruck einer wahrhaftigen, tiefen Verwirrung zu sein scheint.

Ich erinnere mich nicht mehr, ob ich kurz vor oder kurz nach meinem zehnten Geburtstag in Montneuf ankam, doch war es in Montneuf, daß ich von Madame M. de L. einen Geburtstagsbrief meiner Eltern erhielt. Diesen Brief müssen sie meiner »Patin« vor ihrer Abreise aus Montluçon übergeben haben. Was aus diesem Brief geworden ist, weiß ich nicht mehr, doch erinnere ich mich, daß er weder etwas über den Absendeort noch den damaligen Aufenthaltsort meiner Eltern aussagte. Sie versicherten mir, daß sie bei bester Gesundheit seien, und beteuerten, ich werde bald wieder bei ihnen sein; sie sagten mir all das, was Eltern ihrem Kind zum zehnten Geburtstag sagen können – fast schon ein Mann, nicht wahr? Ich spürte sehr wohl, daß irgend etwas in diesem Brief nicht stimmte: Wo waren denn eigentlich meine Eltern? Fürchteten sie, ich würde wieder zu fliehen versuchen? Ich hätte doch gar nicht die Kraft dazu gehabt, von neuem zu fliehen. Offen gestanden, ich konnte nicht mehr.

Ich begann nachts im Schlaf zu wandeln. Um mir Demütigungen zu ersparen, beschloß ich, mich abends mit einem Gürtel an die Gitterstäbe des Bettes zu fesseln. Mit komplizierten Knoten band ich mein linkes Handgelenk fest, was mich zwar beim Schlafen störte, doch blieb ich auf diese Weise tatsächlich an meinem Platz liegen. Morgens aber tauchte ein neues Problem auf. Für die Messe mußten wir uns nämlich fast im Eiltempo fertigmachen. Man stelle sich also das Erstaunen unserer Erzieherin vor, ich glaube es war Mademoiselle Madeleine, als diese bemerkte, daß der unglückselige Paul-Henri mühsam versuchte, sich von seinem Bett loszumachen, statt sich wie alle anderen zu waschen ... Ich hatte die Wahl, entweder nachts schlafzuwandeln oder aber zu spät zur Messe zu kommen. Ich weiß nicht mehr, was ich damals tat; doch bald schon trat eine Krise ein, die den Verlauf aller Dinge entscheidend ändern sollte.

11. September 1977

Es ist unbedingt notwendig, zwischen dem Vergänglichen und dem Wesentlichen zu unterscheiden: Das Vergängliche verletzt, das Wesentliche ist noch vorhanden; bis zu jenem Tage, an dem das Vergängliche das Wesentliche zerfressen hat, den Kern selbst, den harten Kern zerstört hat ...

Extreme und gleichzeitig banale Beispiele für das Vergängliche: Die Zeitungen sprechen in diesen drei letzten Tagen nur von Betrügern ... und davon, daß jenes Land, das wir Judäa und Samaria nennen, ganz offen oder heimlich, doch stetig weiterbesiedelt wird. Aber gehört denn der Krieg, von dem alle wieder leise sprechen, auch zum Vergänglichen? Werden wir denn nie Verwirrung und Widersprüche hinter uns lassen? Versuchen wir hier, uns an das Wesentliche zu halten, an seine diskreten Zeichen.

R. behauptet, unsere gesamte Weltsicht, all unsere Riten, unsere ganze Vorstellungswelt seien vom Gefühl der Schuld durchdrungen: Als es zur Katastrophe der Vernichtung und des Exils gekommen sei, habe dies bei einem damals von messianischer Begeisterung ergriffenen Volk das Bild einer verdienten Strafe, eines vernichtenden Tributs als Buße für fehlende Treue hervorrufen müssen. Die Rückkehr nach Erez Israel sei der letzte Versuch, diesen jahrtausendealten Schatten loszuwerden, eine wahre Herausforderung: Wir sind nicht mehr schuldig, da wir in unser Land zurückgekehrt sind, da wir wieder auf dem Boden unserer Vorfahren versammelt sind. So wenigstens sieht R. die Dinge.

13. September 1977

Es ist der Morgen des Rosch-ha-Schana, unseres Neujahrsfestes. Die sonnenbeschienenen Straßen der Stadt sind völlig ruhig; fast nirgends ein Auto. Kleine Grüppchen eilen zu den Synagogen: In dem friedlichen Licht steigt der Singsang der Gläubigen zu mir empor. In wenigen Augenblicken werden die langgezogenen Töne des Schofars, des Widderhorns, erklingen: »Sie sind lang«, erklärt mir Michal, »damit sie bis zum siebten Himmel dringen und dort unsere Gebete gehört werden ...« Rosch-ha-Schana 1977: fast auf den Tag genau fünfunddreißig Jahre später.

Bei der Messe plagte einige von uns das gleiche Übel. Zunächst ging alles gut, doch nach ungefähr zwanzig Minuten bewirkten Weihrauch und der leere Magen sowie das ständige Niederknien und Wiederaufstehen, daß sich hin und wieder einer unvermittelt erhob, den Mittelgang der Kapelle entlang dem Ausgang zulief und auf halbem Weg in Ohnmacht fiel.

Die Patienten wurden in das Büro von Madame Chancel, der Direktorin, gebracht, und kam man dann mit Hilfe von Ammoniak wieder zu sich oder einfach, weil die Kräfte wieder zurückgekehrt waren, wie das für unser Alter natürlich war, blickte man oft in Madame Chancels mageres Gesicht, das sich über uns beugte.

Madame Chancels Güte hätte ein Quell des Trostes für mich sein sollen, doch nichts schien mich aus jener melancholischen Apathie ziehen zu können, in die ich nach und nach versank. Ich reagierte überhaupt nicht mehr, nicht einmal als sich etwas ereignete, das trotz des unkomischen Zusammenhangs, dem es entsprang, einer gewissen Komik nicht entbehrte.

Eines Tages traf in Montneuf ein Junge von ungefähr fünfzehn Jahren ein, den ich aus Néris kannte: Davy. Wenn es eine typisch jüdische Physiognomie gibt, dann zweifellos seine; doch war sein Name noch französischer geworden als meiner: ein adeliger Name. Er stellte sich uns als »Pfadfinder-Anführer« vor und war mit einer prächtigen Uniform ausstaffiert. Er kannte die neuesten patriotischen Rituale, und bald schon organisierte er Fahnenappelle und Lagerfeuer, bei denen er Gedichte zum Ruhm des Marschalls vortrug, sowie Ausflüge, die von heldenhaften Gesängen begleitet wurden. Kurz, Davy bemühte sich fieberhaft, die nationale Moral zu heben. Wie ein Orkan brauste er durch unser Heim, und kein einziges Mal in den wenigen Wochen, die er in Montneuf blieb, schien er mich zu erkennen: nicht das geringste Zeichen eines heimlichen Einverständnisses. Ich meinerseits begnügte mich damit, bei seinen Aktionen stumpfsinnig mitzumachen; auch ich gab kein Zeichen.

Es dauerte einige Monate, bis ich den absoluten Tiefpunkt erreicht hatte. Etwas in meinem neuen Leben bereitete mir freilich ein Vergnügen, was sicher zunächst eine ausgleichende Wirkung hatte: unsere Spaziergänge.

Sehr früh schon habe ich die Natur geliebt – soweit ein Kind dazu in der Lage ist; ich vermochte jene Verbundenheit zu empfinden, die für den Erwachsenen zur Quelle höchsten Glücks werden kann. Schon in Néris liebte ich es, ziellos durch Felder und Wälder zu streifen, um wie in meinen Büchern ein Abenteuer zu erleben, aber auch, weil mich verschneite Hecken, sich auftürmende bleierne Wolkenberge, der Duft feuchter Blätter mit Freude erfüllten. Sicherlich wird man das lächerlich finden, doch ich liebte auch jene Vögel, die gewöhnlich niemand mag und die jeder häßlich findet: die Raben. Ich liebte es, wie sie schwerfällig über die Felder flogen.

Die rauhe Landschaft von Berry hier in Montneuf war für mich ganz das Richtige: Es gab überall Hecken und Felder, und auch an Wolken, feuchten Blättern und Raben fehlte es nicht. Ich habe mich später oft gefragt, warum diese Landschaft eine so starke Anziehungskraft auf mich ausübte, während andere, nach klassischen Regeln viel »schönere«, mir nichts sagten. Was soll man von den Landschaften Israels sagen? Sie besitzen die ganze Schönheit des Orients, sie sind – wie man leicht zugeben wird – viel eindrucksvoller als die Landschaft des Berry oder des Bourbonnais. Und dennoch ... Hier bestehen Verbindungen, die wohl bis zu den Landschaften der frühen Kindheit zurückreichen.

So erinnere ich mich an einen Nachmittag im November oder Dezember. Wir gingen am Wald entlang – es war einer dieser Wälder, in denen alles durcheinander wächst: Brombeersträucher, Farne, Bäume; die Bäume waren schon fast kahl, und der ganze Wald kam mir wie eine graue stachlige Masse vor. Auf der anderen Wegseite die braune Erde der Felder und weiter weg, hinter einer Schilfwand, ein Teich, in dem sich der Himmel spiegelte. Der Himmel selbst, den dicke dunkle Wolken bedeckten, war gerade über unseren Köpfen aufgerissen und erstrahlte in einem intensiven Licht. Diese melancholische Landschaft war schön für mich – so schön, daß ich schauderte. Doch trotz dieser Momente flüchtigen Glücks wurde ich immer trauriger: Irgendwie ließ ich mich langsam sterben.

Ende des Winters, im Monat März, bot sich die Gelegenheit. Schon seit einigen Tagen fühlte ich mich fieberkrank, doch war ich entschlossen, nichts zu sagen. Mademoiselle Madeleine, die unsere Spaziergänge beaufsichtigte, wunderte sich nur manchmal über die apathische Miene dieses armen Paul-Henri. Wir zogen also wie gewöhnlich los. Und wie gewöhnlich trödelte ich ein wenig hinterher – allein, denn in Montneuf war es mir nicht gelungen, Freundschaft zu schließen. Die Wege waren richtige Schlammlöcher, und auf den Böschungen lagen noch Häufchen bräunlichen Schnees. Es bereitete mir Mühe, die Füße zu heben; immer heftiger schmerzte der Hals; die Dinge um mich herum nahm ich nur noch wie durch einen Schleier hindurch wahr: Ich glühte vor Fieber.

Unser Weg führte an einem Bach entlang. Ich blieb noch weiter hinter der Gruppe zurück, die um eine Biegung verschwand. Ohne zu zögern, watete ich bis zu den Knien in das eisige Wasser; ich wußte genau, was ich tat, wenngleich mich auch das Fieber teilnahmslos machte. Plötzlich war Mademoiselle Madeleine neben mir; ich hörte ihre Fragen, aber ihre Vorhaltungen waren mir gleichgültig. Paul-Henri hier, Paul-Henri da; die Schreie, das Lachen, die spöttischen Blicke der anderen, die umgekehrt waren, berührten mich überhaupt nicht. Ich konnte mich gehenlassen.

Wie der Spaziergang zu Ende ging – ich könnte es nicht sagen, denn nachdem man mich aus dem Bach gezogen hatte, fühlte ich mich sehr elend, und von diesem Moment an verschwammen meine Erinnerungen und verschmolzen zu einer einzigen: zu der Erinnerung an ein langes Krankenlager. Ich war mehrere Wochen krank; eine sehr schlimme Kehlkopfdiphtherie; wie Madame Chancel sagte, wäre ich beinahe gestorben. Man brachte mich nicht ins Krankenhaus, denn in einer kleinen Stadt wie Le Blanc oder auch Châteauroux hätte ein Kind, das so wenig den Kindern der Gegend ähnelte, Verdacht erregen können. Madame Chancel richtete sich neben meinem Bett, hinter einem Wandschirm, ein: Eine lange Krankenwache begann.

Wie merkwürdig es mir heute vorkommt, diesen fernen Wendepunkt in Erinnerung zu rufen! Bin das tatsächlich ich? Gäbe es einen Kollektivjuden, so würde er sich wohl dieselbe Frage stellen: Bin ich heute noch derselbe Jude wie jener vor fünfunddreißig Jahren? Ja, ich bin es wirklich; wir sind es wirklich. Die Risse sind da, obwohl man sie nicht sieht: Alles ist verändert, und doch ist nichts verändert.

Von meiner Krankheit bewahre ich eine paradoxe Erinnerung: An die Realität der täglichen Krankenpflege, die Spritzen und Arztbesuche, die Fürsorglichkeit von Madame Chancel, erinnere ich mich kaum noch, während mir jene Szenen, die ich im Fieberwahn erlebte, klar im Gedächtnis geblieben sind; freilich war die hartnäckigste dieser Wahnvorstellungen eine Begebenheit, die sich vor knapp vier Jahren fast genauso im Zug zugetragen hatte.

Als unser Zug den Straßburger Bahnhof verließ, wollte ich, um unsere wiedergefundene Freiheit zu feiern, ein wenig im Gang umherschlendern. Der Gang führte in einen anderen Waggon, und die Verbindung zwischen beiden Waggons war schnell überschritten; nach nur wenigen Augenblicken hatte ich völlig die Orientierung verloren. Ich merkte es nicht sofort, da ich drei etwas ältere Jungen traf, sicherlich Franzosen, die ebenfalls die Tschechoslowakei verließen; drei Jungen, die mir die erste wirkliche Demütigung meines Lebens zufügten. Der größte sprach mich in Tschechisch an und fragte mich nach wenigen Worten, ob ich den Eiffelturm sähe. Ich sah aus dem Fenster: Nein, ich sah ihn nicht. »Sieh doch richtig hin. Dort hinten, am Horizont ...« Man sah nur die Weite Lothringens, doch hatte man mich bald überzeugt; und als die drei ein wahres Indianer-Geheul ausstießen, um den Eiffelturm zu begrüßen, überbot ich sie noch und äußerte überschwenglich meine Begeisterung vor der berühmten Silhouette. Schallendes Gelächter. Die drei Teufel rannten davon, und ich blieb so gekränkt und fassungslos, wie ein siebenjähriges Kind nur sein kann, zurück. Ich brach in Tränen aus, und als ich mich in diesem Moment nach den Abteilen umsah, um meine Mutter zu suchen, bemerkte ich, daß ich mich verirrt hatte.

In panischer Angst lief ich von einem Waggon zum anderen, aber wohl in der falschen Richtung. Mühsam nur kam ich vorwärts, wurde durch die Bewegung des Zuges hin- und hergeschleudert; ich klammerte mich an die Schiebetüren, riß sie ungestüm auf, steckte den Kopf in die Abteile: überall müde Gesichter, Berge von Gepäck. Man wandte sich kaum um; ohne zu fragen, vertieften sich die sorgenvoll verzogenen Gesichter wieder in ein Buch oder die Zeitung oder versanken erneut in Schlaf. Der Fieberwahn ließ die Gänge unendlich erscheinen, und die Gesichter blickten mich drohend an: Ich schrie vor Entsetzen, und – vielleicht war auch nur die Diphtherie schuld daran – ich erstickte. Doch plötzlich kam wie durch ein Wunder die Erlösung: Am Ende des Ganges tauchte meine Mutter auf, die nach mir suchte. Ich stürzte ihr entgegen, warf mich schluchzend in ihre Arme, fühlte, wie ihre kühlen Finger mein Gesicht streichelten ... Ich öffnete die Augen: Madame Chancel war da und strich mir beruhigend über die Stirn.

17. September 1977

Es hat sehr lange gedauert, bis ich den Weg zu meiner eigenen Vergangenheit wiederfand. Die Erinnerung an die Ereignisse selbst konnte ich nicht vertreiben, doch wenn ich davon sprechen wollte oder wenn ich zur Feder griff, um sie zu beschreiben, war ich jedesmal wie gelähmt. Damals, als ich meinen Militärdienst beendete, war ich fest entschlossen, da ich die Ereignisse nicht vergessen konnte, alles mit Gleichgültigkeit zu betrachten; jedes Echo wurde unterdrückt.

Die Jahre verstrichen. Ich studierte, mit Unterbrechungen. Zur gleichen Zeit machten mich verschiedene Aufgaben, die ich im Ausland oder zu Hause für Israel übernahm, mit den konkreten täglichen Problemen unseres Staates vertraut, ohne daß jedoch die Begeisterung der ersten Zeit wieder in mir erwacht wäre. Diese Tätigkeit entfernte mich mehr und mehr von einer scheinbar für immer verdrängten Kindheit und von jener Welt, die mit ihr untergegangen war.

Doch man bleibt empfänglich, ohne es zu wissen, und manchmal nimmt plötzlich ein harmloses Zeichen, ein kaum wahrnehmbarer Anstoß unerwartete Dimensionen an. So erging es mir damals, als ich mich in Schweden bei meinem Onkel Hans aufhielt. Er leitete auf dem Land, südlich von Stockholm, ein Heim für geistig behinderte Kinder. Ende 1956 fuhr ich für einen kurzen Besuch zu ihm: Ich blieb ein Jahr.

Wir sprachen kaum von Prag oder Rochlitz: Erinnerungen gehen ihre eigenen, manchmal indirekten, geheimnisvollen Wege.

Rein äußerlich glich Tulsa ein wenig Montneuf. Die gleichen sehr niedrigen Gebäude rund um einen Innenhof, die gleichen weiten Felder und Wälder in der Umgebung. In diesem Rahmen, der nicht eines gewissen Reizes entbehrte, lernte ich jene Kinder kennen, die in einer unzugänglichen Vorstellungswelt lebten, Kinder, die sprechen wollten und es nicht konnten, Kinder, die sich verzweifelt bemühten, eine Verbindung herzustellen und doch immer nur stundenlang einen Namen wiederholen konnten oder ununterbrochen dasselbe Lied sangen und rhythmisch dazu mit dem Kopf nickten. Ich begriff damals, was es bedeutet, wenn eine innere Welt für immer verschlossen ist …

In Tulsa entdeckte ich auch einige Bücher in der Bibliothek meines Onkels. Sie enthielt vor allem anthroposophische Werke, doch neben den Ausgaben von *Die Philosophie der Freiheit* und *Wie gelangt man zur Erkenntnis höherer Welten?* auch drei Werke von Martin Buber. So las ich damals *Reden über das Judentum*, *Die Erzählungen der Chassidim* und *Die Legende des Baal-Schem-Tow*.

Ich könnte heute nicht mehr sagen, ob ich damals von der geistigen Botschaft dieser schmalen Bände beeinflußt wurde, doch erinnere ich mich, daß sie mich tief bewegten. Ich las sie mehrere Male, und das fremde Land, auch eine gewisse Einsamkeit trugen dazu bei, daß ich wie nie zuvor den verborgenen Zauber dieser geheimen Welt des Chassidismus empfand. Doch noch stärker fühlte ich zum ersten Mal den klaren Unterschied zwischen meinem Status als Israeli, der mir zumindest vorübergehend überflüssig und fast sinnentleert erschien, und dem Status als Jude, der mir in diesem ungewöhnlichen Rahmen in einigen Punkten plötzlich eine neue, geheimnisvolle, starke und wunderbare Dimension zu erhalten schien.

Der Juni kam, und meine Abreise stand nahe bevor. Es war die Zeit der weißen Nächte, wenn die nächtlichen Stunden langsam in einem milchigen Dämmerlicht zerfließen, das trotz schwerer schwarzer Vorhänge den Schlaf vertreibt und lange, von Schweigen unterbrochene Gespräche begünstigt.

Im Verlauf der vorangegangenen Wochen hatte ich

mit zwei Deutschen Freundschaft geschlossen, die dort in der gleichen Eigenschaft wie ich arbeiteten: Dieter war noch sehr jung und kurz vor Kriegsausbruch geboren; Wolf, ein Mann in den Vierzigern, war an der Front gewesen.

Eines Abends waren Dieter und ich zum Essen bei Wolf eingeladen, wohl um meine Abreise zu feiern. Das Essen verlief heiter, Wein und Aquavit, jener skandinavische Schnaps, der so brennt, daß er den Atem nimmt, taten ein übriges, so daß wir alle mehr als gewöhnlich von der Gegenwart, der Zukunft und auch der Vergangenheit redeten. Wolf sprach von seinen Kriegserlebnissen: Er war an der russischen Front gewesen. Bestimmte Szenen kamen ihm ins Gedächtnis zurück: brennende Dörfer, durch die seine Einheit zog, während aus weiter Ferne Lieder erklangen. Halb sehnsüchtig, halb gequält erzählte uns Wolf, daß er bei der Waffen-SS gedient hatte. Ich ging. Zwei Tage später reiste ich ab.

Wenn ich mich an dieses außerhalb der Zeit stehende Jahr erinnere, erscheint mir jener Abend mit Wolf wie ein heftiger, deutlicher Anstoß, wie eine Mahnung und Aufforderung, mich diesem Kapitel der Geschichte zuzuwenden, denn nichts konnte bisher vergessen sein und nichts war wirklich beendet; auf der anderen Seite wirkt die Lektüre der Schriften Martin Bubers im Verborgenen nach wie eine Entdeckung, die man allmählich macht: Über die jüdische Folklore hinaus, die ich seit Ben-Shemen und Natanya kennengelernt hatte, weit entfernt von der biblischen Strenge und der kalten Unerbittlichkeit des Gesetzes, fühlte ich in diesen Seiten eine Wärme, fühlte etwas Mitreißendes pulsieren, das in höchst seltsamem Gegensatz zu dem stand, was Israel damals an Überflüssigem, Banalem und Flüchtigem mit sich zu schleppen schien. Und dann bleibt da noch die Begegnung mit der verschlossenen Welt dieser Kinder, mit der Ohnmacht, die für mich zunächst nur ganz undeutlich, dann sehr klar zum quälenden Symbol wurde, ja rein persönlich zur echten Provokation. Ich will hier nur ganz kurz von Arne und Bert sprechen.

An einem Wintermorgen, ungefähr drei Monate nach meiner Ankunft in Tulsa, machte ich mit Arne, einem fünfzehnjährigen Jungen, den gewohnten Spaziergang.

Der erste Schnee war schon gefallen, doch die Wege waren geräumt, und ich hoffte bis nach Elsgard zu kommen, einem ähnlichen Heim wie Tulsa, wo man uns vor dem Rückmarsch einen heißen Tee servieren würde. Arne war sehr krank: Stundenlang stammelte er unverständliche Wörter, gestikulierte heftig, er erzählte sich selbst Geschichten, die nur er allein verstand. Wie gewöhnlich lief er ziemlich weit voraus, und als wir uns einem Dorf näherten, verschwand er an einer Wegbiegung, mit den Armen gestikulierend und versunken in die geheimnisvolle Welt seiner Phantasien. Als ich Arne am Ende der Dorfstraße wiedersah, war ihm eine Horde Jungen auf den Fersen, die gerade aus der Schule kamen und wie er schrien und gestikulierten. Von Panik ergriffen, raste Arne los, die Jungen hinter ihm her, und ich versuchte sie einzuholen. Wir ließen das Dorf hinter uns und rannten quer über die schneeweißen, unberührt daliegenden Felder bis hin zu den Wäldern.

Nach einigen hundert Metern warf sich Arne erschöpft und weinend in den Schnee. Die Jungen, die in weitem Halbkreis um ihn herumstanden, schrien immer noch auf ihn ein und schwenkten ihre Taschen und Mützen. In seiner Raserei wandte sich Arne nun gegen sich selbst. Als ich ihn erreichte, wälzte er sich mit verdrehten Augen und mit Schaum vor dem Mund im Schnee und versuchte, sich die Kleider vom Leib zu reißen. Ich hielt ihn, so gut ich konnte, an den Schultern fest und sprach mit ihm, um ihn zu beruhigen. Innerhalb weniger Augenblicke hatten sich die Jungen aus dem Staub gemacht, nicht ohne vorher noch einige Schimpfwörter zurückzurufen. Arne aber setzte sich plötzlich auf, umklammerte meine Hand und hob das Gesicht.

Alles, was in Arnes Kopf verschlossen war, alles, was er niemals würde ausdrücken können, all sein schreiendes, doch stummes Leiden spiegelte sich in diesem verzerrten, tränenüberströmten, mit Rotz, Schaum und geschmolzenem Schnee verschmierten Gesicht. Arne riß die Augen weit auf, alles wollte er mir sagen – doch wie nur? »Herr Friedländer«, schrie er, »Herr Friedländer! . . .«

Bert, ein Junge von dreizehn oder vierzehn Jahren, sagte nur ein einziges, unverständliches Wort: »Svalla Ble«. Eigentlich sagte er es nicht, sondern sang es. Ganz leise zunächst, dann lauter und immer lauter; bis es richtig triumphierende »Svalla Ble« waren, stets nach derselben Melodie. Um ihn zu beruhigen, brauchte man nur »Tist« zu sagen, was »Sei still« bedeutet. Dann senkte Bert die Augen, hielt eine Sekunde inne und hub sofort wieder an: »Svalla Ble«, Tag und Nacht, pausenlos. Ich glaube, Bert schlief nie.

Doch Bert konnte lesen. Wenn man ihm eine Seite zeigte und mit dem Finger auf eine Zeile wies, hörte er mit seinem Singsang auf und begann wie eine Maschine und ohne irgendeine Betonung zu lesen, wobei er ein Wort an das andere reihte. Ich beschloß, über diesen Weg an ihn heranzukommen. Jeden Abend lasen wir. Doch sobald sich meine Hand von der Seite entfernte, sobald mein Finger nicht mehr auf eine bestimmte Zeile wies, versiegte die Flut und unwiderruflich brach wieder das unerträgliche »Svalla Ble« hervor.

Eines Abends, als die anderen Kinder des Pavillons schon schliefen, setzten wir uns wie gewöhnlich in die Eingangshalle. Um ihn dazu zu bringen, sich auf die Bank zu setzen, mußte man ihn an der Hand nehmen, sonst wäre er bewegungslos stehen- oder sitzengeblieben, je nachdem – doch stets mit seinem eintönigen »Svalla Ble«.

Wir begannen zu lesen, und wie gewöhnlich versuchte ich, wenigstens einen Augenblick lang zu einem flüchtigen Aufflackern von Verständigung zu gelangen. Ich hebe plötzlich die Hand, meine Finger entfernen sich von der Seite; Bert hört auf zu lesen und sieht mich an. Ich warte auf das »Svalla Ble«, doch Bert schweigt. Er sieht mich immer noch an, seine Lippen bewegen sich, er wird etwas sagen, lächelt zaghaft. Immer noch nichts. Das Lächeln hält an, ist es möglich...? Aber nein. Die Augen erlöschen, der Gesichtsausdruck ist wieder starr und leer, die Lippen öffnen sich und zögernd, noch sehr schwach, doch klar und deutlich bricht wieder das »Svalla Ble« hervor...

Als sich die *Gripsholm* langsam in Göteborg vom Quai löste, wußte ich, daß dieser seltsame Aufenthalt in Schweden Tore geöffnet hatte, die sich nie wieder schließen würden.

Nach drei oder vier Krankheitswochen wurde meine Atmung wieder normal, und das Fieber sank. Ich genas.

Vom Fenster der Krankenstation, das auf den großen Hof ging, beobachtete ich das Leben in Montneuf. Ich sah, wie die zweispännigen Breaks um den Brunnen fuhren, ich lauschte dem Geklapper der Holzschuhe auf dem Steinpflaster und sah zu, wie sich das Licht der Sonne auf der Mauer des gegenüberliegenden Gebäudes veränderte, ich hörte, wie die Kinder aus der Messe kamen, und ich erkannte sogar die Stimme von Jean, den ich mochte. Kurz, in diesem Monat April 1943 begann ich von neuem zu leben. Sogar die gute Madame Chancel war erstaunt darüber, wie schnell ich gesund wurde.

Als ich ins Freie durfte, war es Frühling geworden. Anfangs fiel mir das Gehen noch ziemlich schwer, doch bald schon konnte ich wieder an den Teichen entlangspazieren. Den Wegrand säumte blühender Weißdorn, und auf den Wiesen leuchteten goldgelbe dichte Narzissenbüschel. Ich fühlte mich wohl; ich hatte mich verändert. Die Erinnerung an meine Eltern war irgendwie weiter weg gerückt.

Während der Karwoche nahm ich meinen Platz in der

Kapelle wieder ein, dieses Mal ohne irgendwelches Unwohlsein, und ich begann bei der Messe zu ministrieren. Mehr als einmal hatte ich unkeusche Gedanken zu beichten, und um mich zu bessern, verdoppelte ich meine Frömmigkeit. Ich war reif für Saint-Béranger. Im September kehrte ich nach Montluçon zurück.

2

Wieder wurde ich von Madame Dutour empfangen. Rein äußerlich war sie das ganze Gegenteil von Madame Chancel: War diese groß, blaß und von zarter Statur und lugten unter ihrem schwarzen Umhang flachsblonde Haarsträhnen hervor, so war jene dagegen klein, dunkelhaarig, dem Aussehen und Tonfall nach ganz Südfranzösin. Als ich in Saint-Béranger ankam, hatten ihre einst wohl tiefschwarzen Haare schon einen silbrigen Schimmmer, was einen anziehenden Gegensatz zu ihrem bleichen Teint und ihren braunen Augen darstellte. Beide – wie überhaupt alle Mitglieder der Sodalität – lebten in einer höchst seltsamen Welt.

Nur für einen Außenstehenden war diese Welt eng und erstickend; für den neuen elfjährigen Internatsschüler bedeutete sie Ruhe, Sicherheit, Verwurzelung. Die Perspektiven dieses monolithischen Katholizismus waren genau erforscht und ohne Abgründe: Sie waren völlig widerspruchsfrei wie jeder absolute Glaube. In Montluçon war eine Täuschung über das Wesen von Gut und Böse nicht denkbar, und ich glaube, daß diese Welt allen, die nicht plötzlich von unerklärlicher Angst ergriffen wurden, in keiner Weise bedrohlich erschien.

In meiner Erinnerung ist Saint-Béranger in dem staubigen, verblaßten, ein wenig ranzig riechenden Rahmen des Provinzlebens erstarrt, das von allem Modernen und von der Republik verschont geblieben war und das erschauderte, als Vichys Stunde schlug. Denn bei der Sodalität verehrte man den Marschall; sein Bildnis schmückte neben dem Kruzifix und dem Bildnis der Jungfrau Maria alle unsere Klassenzimmer, das Sprechzimmer und den Speisesaal. Kurz nachdem ich nach Montluçon zurückgekehrt war, begann die Radiokampagne des neuen Informationsministers Philippe Henriot. Jeden Tag lasen wir seine Redeergüsse; als er von der Résistance hingerichtet wurde, war sein Tod in unseren Augen ein abscheulicher Mord.

Wenn ich versuche, mich wieder an die Welt der Sodalität zu erinnern, so fällt mir am meisten auf, wie unwirklich diese Welt heute erscheint, wie fern das alles plötzlich liegt. Nichts scheint mehr von dem vorhanden zu sein, was vor kaum dreißig Jahren so ewig unveränderlich erschien. Ich habe das Gefühl, daß das Saint-Béranger von damals mit einem Schlag in einer feinen Staubwolke verschwunden ist, wie ein Haus, das Termiten langsam zerfressen haben. Doch wer weiß, vielleicht bin ich es, der sich verändert hat, vielleicht bin ich es, der nunmehr in seinem tiefsten Inneren sich widersprechende, beziehungslose, völlig realitätsferne Bruchstücke eines Lebens aufbewahrt, jenen Metallsplittern gleich, die manchmal die Überlebenden großer Schlachten in sich tragen.

Ich gewöhnte mich ein und wurde in jeder Hinsicht ein Schüler von Saint-Béranger. Ich wurde in die fünfte Klasse eingestuft. Wie viele meiner Klassenkameraden fühlte auch ich mich bald schon berufen: Ich wollte Priester werden.

In Saint-Béranger lebten damals ungefähr vierzig Kinder und Jugendliche, zwei oder drei junge Seminaristen, einige Nonnen – das Fundament des Hauses – und Laienschwestern. Unser Leben war vom Morgen- bis zum Abendgebet auf die Minute genau eingeteilt. Die täglichen Gebete wechselten mit den Unterrichtsstunden, den Mahlzeiten und Pausen, und alles spielte sich in einem sehr begrenzten und ziemlich verfallenen Rahmen ab, der jedoch für uns seinen Reiz hatte: zwei miteinander verbundene Hauptgebäude sowie ein Anbau, auf der einen Seite ein kleiner Eingangshof, wo ich meine ersten Schritte getan hatte, und auf der anderen Seite ein Pausenhof mit einem Gitterzaun und Ligusterbüschen, die während der Blütezeit einen betäubenden Duft ausströmten, den ich jedoch widerlich fand. Dahinter breitete sich die Stadt aus: Zunächst ein jämmerlicher Platz, ein Boulevard und zwei riesige runde Gaskessel; weiter weg, fast schon am Horizont, die Kaserne und die Fabrikgebäude der Dunlopwerke, die bei einem englischen Bombenangriff teilweise zerstört worden waren.

Die Klassenräume und die Büros lagen im Erdgeschoß und im ersten Stock der beiden Hauptgebäude; darüber die Schlafsäle; der Speisesaal befand sich im Anbau. Über eine Wendeltreppe gelangte man in die Kapelle und zu den Schlafsälen. Wir marschierten vom Schlafsaal in die Kapelle, von der Kapelle in den Speisesaal, vom Speisesaal in die Klassenräume, von den Klassenräumen in die Kapelle, immer der Größe nach, einer hinter dem anderen – die Kleinen vorn, die Großen hinterdrein – und stets mit gekreuzten Armen und zu Boden geschlagenen Augen, schweigend oder ein Gebet sprechend. Abends, wenn wir nach dem Lernen in die Kapelle hinaufstiegen, klang von den feuchten Wänden des Treppenaufgangs das *Salve Regina* wider, und im Licht der schaukelnden Lampen, die unseren Aufstieg nur spärlich beleuchteten, rankten sich unsere schwankenden Schatten die Wände empor.

Dann kam das Ritual des Zubettgehens. Wir knieten am Fußende des Bettes zu einem letzten Gebet nieder, danach entkleideten wir uns nach genau festgelegten Regeln: Zuerst wurde das Hemd ausgezogen und ein langes, rauhes, verwaschenes Nachthemd übergestreift. Dann mußte man die Decken und das Bettuch zurückschlagen, sich aufs Bett setzen, Leintuch und Decken über die Beine ziehen, und erst dann durfte man die Hose ausziehen, so daß durch diese doppelte Vorsichtsmaßnahme jede Verletzung des Schamgefühls vermieden wurde. Madame Robert ging von Bett zu

Bett und kontrollierte, ob auch jeder schön brav auf dem Rücken lag und die Hände über dem Herzen gefaltet hatte. Dann wurde das Licht gelöscht, und nur ein blaues Nachtlicht erhellte den Saal. Die aufsichtführende Schwester ging in ihr Zimmer, einen kleinen Raum neben dem Schlafsaal, von wo wir durch eine Luke beobachtet werden konnten. Bald erlosch auch ihr Licht, und die Nacht senkte sich auf zwanzig oder dreißig Jungen herab, die schon längst schliefen.

Die Schüler von Saint-Béranger kamen von überallher, aus adligen Kreisen und aus ganz gewöhnlichen Familien. Neben den Kindern aus der Gegend gab es andere aus Lothringen, aus der Bretagne, aus Südfrankreich und sogar »Koloniale«, wie jene drei Brüder D., die direkt von Rabat gekommen waren. Die meisten stammten aus sehr frommen Familien, in denen es häufig schon einen Seminaristen oder eine Nonne gab.

Nichts in Montluçon erinnerte an die manchmal zynische, oft recht fragwürdige Atmosphäre, die man den großen religiösen Anstalten, vor allem den Jesuitenschulen zuschreibt. Freilich, wir waren nur wenige und wurden Tag und Nacht streng überwacht. Trotzdem kam es von Zeit zu Zeit zu heftigen Ausbrüchen, die plötzlich und unvermittelt unsere kleine Gemeinschaft erschütterten; ganz und gar unvorhersehbare Raufereien zwischen einigen der großen Schüler, und zwar meistens während der abendlichen Studierstunde. Diese wilden Boxkämpfe, die an einem Ort wie dem unsrigen an und für sich schon unerwartet waren, sind mir wegen ihrer außergewöhnlichen Heftigkeit in Erinnerung geblieben: Nach wenigen Augenblicken bluteten die Nasen, waren die Hemden zerrissen, die Augen verschwollen, Haarbüschel ausgerissen; die Gegner kämpften mit allem, was sie in die Hände bekamen – auch mit den Stühlen der Klassenräume, und oft bedurfte es der ganzen Autorität Madame Dutours persönlich, um sie wieder auseinanderzubringen. Was anders nicht zum Ausbruch kommen konnte, fand hier ein Ventil.

Der Unterricht basierte auf dem Prinzip des ständigen Wettbewerbs. Jeden Montagmorgen verlas Madame Dutour feierlich die Notenliste, und jede Klasse hatte einen Klassenersten und einen Klassenletzten. Die Namen der Klassenersten wurden an der Ehrentafel angeschlagen, und meiner erschien dort bald regelmäßig. Ich wurde lobend herausgestellt: Zweifellos würde ich Jesuit oder vielmehr »jèse« werden, wie wir damals sagten.

In Saint-Béranger erfuhr ich, was Freundschaft, die Freundschaft unter Jugendlichen, bedeutet. In Prag hatte ich kurz vor unserer Abreise einen ersten Freund gehabt, Jiři, einen Jungen meines Alters, der ebenfalls Jude war. Jiři, dem das Marionettentheater gehörte, wo sich der »vodnik« in einer grünlichen Höhle bewegte. Wenn wir zusammen durch den Park des Hradschin streiften, schmiedeten wir Pläne für einen unzugänglichen Tunnel, in dem unsere beiden Familien völlig autark leben konnten: Wir hatten wohl die nahende Gefahr geahnt, ohne ihre Ursachen zu kennen. Wie man weiß, waren diese Pläne völlig nutzlos.

Später dann in Néris wurde Jojo, der Sohn von Fränkels, ein guter Spielkamerad für mich, nichts weiter. Dagegen waren Paul und Georges in Saint-Béranger richtige Freunde, Freunde, die der grauen Erinnerung etwas Traumhaftes verleihen. Sie stammten beide aus Südfrankreich: Paul kam aus Aix, Georges aus Toulon. Ihnen habe ich es zu verdanken, daß auch ich an dem Leben »draußen« teilnahm, denn sie fuhren in die Ferien und kannten die weite Welt: So lernte ich den Berg Saint-Victoire kennen, als hätte ich ihn selbst gesehen, und ich stellte mir das Meer vor.

Vor zwei Jahren wollte ich Georges wiedersehen. Wir hatten von Zeit zu Zeit miteinander korrespondiert, und ich wußte, daß er seit ungefähr zwanzig Jahren in einem Kloster in Mittelfrankreich lebte. Warum dieser plötzliche

Wunsch, einen Freund wiederzufinden, den ich dreißig Jahre lang nicht gesehen hatte? Zweifellos das gleiche gebieterische Aufbrechen der Vergangenheit, das zumindest teilweise zu diesem Buch geführt hat, das gleiche Wiederaufleben undeutlicher Fragen, Fragen der Jugendzeit, die wiederkommen und nun das gewohnte Leben beschweren. Das Verlangen nach Synthese, nach innerer Kohärenz, die nichts mehr außer acht läßt.

Ich fand Georges, den brüderlichen Freund von einst, so wieder, wie er damals gewesen war – nur dicker war er geworden . . . Mein ehrwürdiger Vater, was für Erinnerungen! Stundenlang ließ ich den guten Georges von sich selber sprechen, von dem, was in all diesen Jahren aus ihm geworden war, und auch von Montluçon. Doch seltsam, was er mir erzählt hat, habe ich vergessen, oder vielmehr, es ist mit den alten Erinnerungen zu einem unteilbaren Ganzen verschmolzen. Mein Bild der Vergangenheit gleicht dem ausgedörrten Boden: Fällt ein Tropfen darauf, ist er sofort verschwunden, ergießt sich ein Strom, wird er aufgesogen. Dennoch: Namen sind wiederaufgetaucht, die Namen der drei Brüder B. – nicht zu verwechseln mit den Brüdern D. – auch die Namen der Brüder de P. In allen drei Familien wurde einer der Brüder Priester. Das zeigt nicht nur, welches Gewicht die Tradition, sondern auch die Anstalt hatte. Nicht jeder konnte sich dem Einfluß dieser entscheidenden Jahre entziehen.

Hatte Georges damals – ehe ich es ihm sagte – begriffen, daß ich Jude war? Nein, er hatte es nicht gewußt. Was aber dachte er sich? Für ihn war ich ein tschechischer Flüchtling oder so etwas ähnliches, ein Kind, von dem man nicht genau wußte, woher es kam. Ein wahres Glück, denn heute ist mir klar, daß eine Indiskretion fatale Folgen hätte haben können. In Néris hat man in der Tat nach mir gesucht.

1944 erschien die Miliz bei der Familie C., unseren damaligen Vermietern: »Wo ist das Kind?« Die Familie wußte es wirklich nicht. Dann tauchten sie bei Madame M. de L. auf: »Die Eltern hat man verhaftet; aber wo ist das Kind?« Madame M. de L. behauptete nichts zu wissen, ging jedoch gleich zum Gegenangriff über: Schämten sie sich denn überhaupt nicht? Was für ein schmutziges Geschäft! Was für ein abscheuliches Verhalten für einen Franzosen! Die Milizsoldaten zogen ab, ohne weiter in sie zu dringen. Es ging da um weit mehr als das Kind: Madame M. de L. war als Jüdin geboren.

Am ersten Tag führte mich Georges durch die weiten Felder der Abtei bis zur äußeren Umfriedung mit dem »Rabenturm«. Später dann nahm ich hinten in der Kapelle an einem Gottesdienst teil. War noch irgend etwas von der einstigen Emotion vorhanden? Nein, nichts mehr. Auf dieser Ebene nichts mehr.

Am Sonntagmorgen vor dem Hochamt verbrachten wir eine Weile am Ufer der Loire, die nur knappe zehn Autominuten entfernt war. Als wir losfuhren, war es schon sehr heiß – jene stumme Hitze des frühen Sommers. Wir gingen die Böschung hinunter. Ganz ruhig floß das Wasser dahin, kein Plätschern war zu hören. In der Nähe ein Felsen und ein paar Büsche, die ein wenig Schatten spendeten. Georges sprach von Musik, doch eigentlich hörte ich nicht richtig zu, so sehr nahm mich die Stille dieses Morgens gefangen. Dichtes Unterholz bedeckte die gegenüberliegende Böschung und machte erst zwei, drei Meter vor dem Wasser halt; neben uns tanzten Mücken im Sonnenlicht; Libellen zuckten vorbei. Und da kommt am anderen Ufer ein kleines Mädchen aus dem Gebüsch hervor – ein Weg verläuft dort, den ich von unserem Platz aus nicht sehen konnte; ihr voran läuft ein Hund; sie trägt einen großen weißen Hut wie auf den Bildern aus vergangener Zeit. Der Hund rennt am Ufer entlang, und das Mädchen läuft hinterher; plötzlich bleiben beide stehen; das kleine Mädchen beugt sich zu dem Hund hinunter, streichelt ihn und spricht mit ihm. Es richtet sich wieder auf und macht eine weite Bewegung mit der Hand. Nichts regt sich. Dann laufen beide plötzlich wieder los und verschwinden im Gebüsch. Georges spricht immer noch. Hat auch er das kleine Mädchen und den Hund gesehen? »Alban Berg, natürlich ...«

20. September 1977

Das Gespräch mit Claude läßt sich nur schwer vergessen. Er hat mir von seinem Film erzählt. Die zuletzt gedrehte Szene ist ein Gespräch mit einem SS-Offizier des Lagers Treblinka. Der Mann lehnt es ab, seinen Namen zu nennen, doch hat er gesprochen – in einem Hotel in Braunau am Inn, der Geburtsstadt Hilers nahe der deutschen Grenze. Als er mit seiner Frau das Zimmer betritt, sieht sich der SS-Offizier einem riesigen Plan von Treblinka gegenüber, der eine ganze Wand bedeckt; er verliert seine Selbstsicherheit; er weint; er stimmt NS-Lieder an; das Lied von Treblinka. Er erzählt von seinen Auseinandersetzungen mit Sturmbannführer Wirth: Die jüdischen Frauen laufen völlig nackt durch den von hohen Holzzäunen umgebenen »Schlauch«, der zu den Gaskammern führte; sie defäkieren vor Angst; sollen die Exkremente aufgesammelt werden? Der Offizier befiehlt es, Wirth ist dagegen. Der Streit von damals belebt ihn, erregt ihn wieder. »Aber, sagen Sie, war es vom organisatorischen Gesichtspunkt her nicht schwierig, täglich 18 000 Menschen zu töten, ohne zu viele Spuren zu hinterlassen? ...«

Anfangs hatte man den Frauen in Treblinka am Eingang der Gaskammern den Kopf rasiert. Zehn jüdische Friseure waren gleichzeitig damit beschäftigt. Claude hat einen von ihnen wiedergefunden: Er ist immer noch Friseur, in New York. Er erzählt. Und auch der berüchtigte Perry Broad aus Auschwitz erzählt, und Murmelstein, der alte Murmelstein, den wir immer noch als Verräter betrachten und der Vorsitzender des Judenrates in Theresienstadt war; er erzählt unter einem sanften Frühlingshimmel in Rom.

Der Wind des Irrsinns blättert in den Seiten der Vergangenheit. Hier einige unbekannte Seiten: zum Beispiel die Kinder von Biatystok. 1943 werden zweihundert jüdische Kinder aus Biatystok in Weißrußland in das Konzentrationslager Theresienstadt in Böhmen gebracht: eine ungewöhnliche Bewegung von Ost nach West, von den Stätten der Vernichtung in ein nicht ganz so erbarmungsloses Durchgangslager. Zwei Monate bleiben die Kinder, getrennt vom übrigen Lager, in Theresienstadt. Als man sie am ersten Tag zu den Duschen bringt, erhebt sich ein einziger Schrei: »Gas!« Sie wissen schon davon, doch dieses Mal sind es wirklich nur Duschen. Nach zwei Monaten verschwinden sie für immer. Wer sind sie? Diese Kinder sollten an jüdische Hilfsorganisationen verkauft werden, erster Schritt eines Handels, der ungeheure Ausmaße hätte annehmen können. Die Verhandlungen scheiterten: Die Kinder wurden umgebracht.

»Wer verbrannte eigentlich schneller«, fragte Claude den Offizier von Treblinka, »die Leichen der Männer oder die Leichen der Frauen?« Und bedächtig beginnt der Offizier mit der Erklärung.

Die »großen Spaziergänge« gehörten zu unseren wirklichen Freuden. Früh am Morgen, gleich nach der Messe, wanderten wir los, immer mindestens zehn Kilometer weit. In der Stadt selbst marschierten wir paarweise, wie gewöhnlich die Kleinen vorn, die Großen hinten, und sicher boten wir mit unseren Baskenmützen und Umhängen manchmal ein seltsames Bild. Wir begegneten deutschen Soldaten, die ebenfalls paarweise marschierten. Die Zäune waren von den erstaunlichsten Anschlägen bedeckt. Ich erinnere mich noch an das Bild einer Schnecke, die an der untersten Spitze des italienischen Stiefels klebte und von deren Stielaugen die englische und amerikanische Flagge mit der Inschrift: »It is a long way to Roma« wehten.

Manchmal zogen wir am Krankenhaus vorbei, und dann verspürte ich einen Stich im Herzen, ein vorübergehendes Angstgefühl. Wenn wir um die Ecke bogen, sah ich zu den Fenstern im vierten Stock hinauf und fragte mich, ob eine der Glastüren nicht plötzlich aufgehen und mein Vater oder meine Mutter sich über das Geländer der Terrasse beugen würden, um mir heimlich zuzuwinken. Doch hätten sie mich mit meinem Pagenkopf, den nun viel zu langen Beinen, den Socken, die über die ausgetretenen Schuhe rutschten, der über die Ohren gestülpten Mütze und dem tiefblauen Umhang überhaupt erkannt?

Hatten wir erst die Schlackenhalden hinter uns gelassen, waren wir mitten in der freien Natur, und stürmten voller Begeisterung in die Tannen- und Buchenwälder, rannten über die Heide, kletterten felsige Hügel empor, um uns am Fuße irgendeiner Ruine niederzulassen, wateten in den Bächen. Die unbändige Lebensfreude, die sich unserer bemächtigte, läßt sich nur schwer beschreiben. Alles, was anders keinen Ausdruck fand, sprudelte bei diesen Ausflügen hervor, bei diesen Verfolgungsjagden, den Räuber- und Gendarm-Spielen, den Indianerkämpfen; kurz, wir waren glückliche Jungen. Wenn der Abend herniedersank, stellten wir uns unaufgefordert in Reih und Glied, und im Gleichschritt marschierten wir zurück, wobei wir *Maréchal, nous voilá* oder *A cœur vaillant rien d'impossible* sangen.

Bei mir erfolgten diese Ausbrüche ausgelassenster Freude nur sporadisch wie so viele plötzliche Reaktionen eines Organismus, der einer unaufhörlichen, von anscheinend unbedeutenden Dingen des täglichen Lebens gespeisten Spannung ausgesetzt ist. Wie sollte ich so die Verteilung der Post vergessen können?

Wenn Madame Robert jede Woche, die Arme voller

Briefe, auf der obersten Stufe der Terrasse erschien, stürzten alle herbei – ich genauso wie alle anderen. Hätte ich mich in dem Moment von der Gruppe entfernen sollen, wo die Namen aufgerufen wurden? Wie aber erklären, daß ich von vornherein mit nichts rechnete und wie auch wissen, daß dieses Mal ebenfalls nichts für mich dabei sein würde? Ich wartete von einer Woche zur anderen, drei Jahre lang. Und seltsam, während sich das Bild meiner Eltern langsam immer mehr verflüchtigte, wurde ihr Brief, jener Brief, der niemals ankam, immer wichtiger, wuchsen Sehnsucht und vergebliche Hoffnung, die sich damit verbanden. Wage ich es zu sagen? Ich habe den Eindruck, daß, je mehr die Zeit verstrich, der Brief zu einem viel unmittelbareren Bedürfnis wurde als die Rückkehr meiner Eltern; als Symbol der Zuneigung und Liebe nahm er den Platz des Menschen selbst ein.

Da ich nie Briefe oder Besuch erhielt, da ich nie in die Ferien fuhr, bemerkte man, daß ich nicht wie die anderen war. In den Augen meiner Kameraden war ich wohl schon ein Waisenkind. Mir blieb nur eine Zuflucht: die Religion. Ich gab mich ihr mit leidenschaftlicher Begeisterung hin.

Im übrigen bestimmte die Religion unser Leben. Die Messe, die Anbetung des Heiligen Sakraments und die Meditationen waren die wesentlichen Einschnitte im Tagesablauf, dazu kamen noch die Gebete vor und nach den Mahlzeiten und dem Unterricht, die kurzen *Aves,* die wir vor uns hinmurmelten, wenn wir von einem Ort zum anderen wandelten, sowie die erbaulichen Geschichten über das Leben der Heiligen zum Beispiel, die nur im Speisesaal vorgelesen wurden. Wer glaubt, wir hätten diese fortwährende Religiosität als einen unerträglichen Zwang empfunden, der irrt sich: Die meisten von uns gingen ganz darin auf. Wir beteten den Rosenkranz, wir wetteiferten in unserer Frömmigkeit, wir waren begierig danach, uns zu kasteien, und voll Begeisterung hätten wir Büßerhemd und Wollkutte getragen, hätte man es uns nur erlaubt.

In der Karwoche lernten wir die Passionsgeschichte nach Johannes auswendig, zunächst in Latein, dann in Griechisch. Wer von uns war nicht zutiefst ergriffen, wenn er die letzten Worte aufsagte, die Jesus beim Abendmahl zu den Aposteln sprach: »Wie mich der Vater geliebt hat, habe auch ich euch geliebt. Bleibet in meiner Liebe«; die Gebete an den Prozessionsaltären ergriffen uns, die Karfreitagsmesse erschütterte uns: Wir folgten buchstäblich den Spuren des Heilands, wir stellten uns seine Leiden vor, wir beweinten seinen Tod, wir empfanden tiefe Freude bei der Verkündigung seiner Auferstehung.

Mit ganzer Seele hatte ich mich dem Katholizismus verschrieben. Wenn in der Karwoche von den Missetaten der Juden gesprochen wurde, so berührte mich das in keiner Weise; manchmal – vor allem beim Spazierengehen – kam es sogar vor, daß ich von den finsteren Intrigen des Wucherers Abraham erzählte, die dieser gegen die ins tiefste Sibirien verbannten, edlen Kampfgefährten des Kosciuszko gesponnen hatte, und schmückte so vor einem stets begierigen Publikum jene Abenteuergeschichten aus, die man uns von Zeit zu Zeit bei den Mahlzeiten vorlas.

So war ich also auf meine Weise zum Abtrünnigen geworden: Obwohl ich mir meiner Herkunft bewußt war, fühlte ich mich dennoch in der Gemeinschaft jener wohl, die für die Juden nur Verachtung hatten, und gelegentlich schürte ich selbst noch diese Verachtung. Ich hatte das zwar unausgesprochene, doch deutliche Gefühl, zur unbesiegbaren, geschlossenen Mehrheit übergetreten zu sein, nicht mehr zum Lager der Verfolgten, sondern dem der Verfolger zu gehören.

Jeder von uns hat seine geheime Schande, jene kurzen Augenblicke, die man tief verdrängt hat und die sich, wenn sie uns durch irgend etwas wieder ins Bewußtsein gebracht werden, in eine brennende Wunde verwandeln, uns instinktiv auffahren lassen und sofort den Wunsch in uns erwecken, sie für immer auszulöschen: Mir geht es so mit den Erzählungen über den Wucherer Abraham und seine Ränkespiele.

Und dennoch – als Madame Robert eines Tages im Philosophieunterricht für die wenigen Schüler von Saint-Béranger, die die letzte Klasse erreichten, anerkennend von Bergson sprach, der zwar Jude von Geburt, dann aber (wenn auch ohne Taufe) dem Herzen nach Katholik wurde, und sogar meinte, Gott würde ihn sicher zu den Seinen zählen, war ich im Innersten stolz darauf, daß ein so großer Philosoph auch Jude sein konnte.

Ich sagte es schon, dieser absolute Glaube, den man uns eintrichterte, war genau das, was ich brauchte. Wandte sich dieses buchstabengetreue Christentum nicht in erster Linie an die Enterbten und Verlassenen dieser Welt? Hatte mich Gott nicht geprüft, weil er mich mehr liebte als alle anderen, und wies er mir nicht so den Weg der Heiligkeit? All diese Gedanken begeisterten mich. Doch den größten Trost fand ich in der Verehrung der Heiligen Jungfrau. In Saint-Béranger stand der Marienkult im Zentrum unserer religiösen Welt; auch in diesem Punkt wurde ich ein Musterschüler. Bei der Gipsfigur mit ihrem sanften Gesicht, dem langen weißen Gewand und dem himmelblauen Gürtel, auf dem Haupt die Sternenkrone aus Weißblech, fand ich so etwas wie mütterliche Nähe.

Ich liebte die strenge Einfachheit, die tiefandächtige Stimmung der Frühmesse, bei der ich zuweilen als Ministrant dienen mußte, nicht in der »kleinen Kapelle« von Saint-Béranger, sondern der »großen Kapelle« des Mutterhauses, nur wenige hundert Meter von der Rue de la Garde entfernt. Und ich liebte auch die prunkvollen Feste. In Wirklichkeit war die »große Kapelle« mit ihrer blauen, mit goldenen Lilien übersäten Decke der Inbegriff sulpizianischer Häßlichkeit. Und doch, wie prächtig kam sie mir damals vor! Ich war wie berauscht vom Glanz der Meßgewänder und der Ziborien, dem aufdringlichen Geruch des Weihrauchs, der sanften oder majestätischen Musik; ich gebe zu, seitdem nie wieder jenes Gefühl verspürt zu haben, das mich damals überwältigte, wenn ich beim Hochamt in der »großen Kapelle« niederkniete und Madame Vernier auf dem Harmonium die ersten Akkorde einer Fuge oder eines schlichten Chorals anschlug.

Paul Friedländer war verschwunden; Paul-Henri Ferland war ein anderer.

3

22. September 1977

Jom Kippur. Eine vollkommene Stille. Möge man mir Ungläubigem verzeihen, daß ich weiterschreibe, doch ich muß diese Stille einfangen, solange sie da ist ... Kein Auto, nichts. Zwei Familien treffen sich auf der Straße hinter dem Haus; vom Garten her verstehe ich deutlich jedes Wort: »Gmar chatima towa!« In welche Synagoge gehen Sie? »Ach, Sie gehen lieber in die andere ...« Sie sind weg. Irgendwo wird ein Rollo hochgezogen, gerade weit genug, damit das Tageslicht eindringen kann. Stille. Es ist neun Uhr: Alles scheint wie angehalten durch ein Zauberwort.

Was verbindet dieses Volk mit der Religion? Ist ein jüdisches Volk ohne jüdische Religion denkbar? Wo es nur um das Alltägliche, das Oberflächliche geht, wird dies die Mehrheit zweifellos bejahen, doch wo es um das Wesentliche geht, muß die Antwort sicher anders lauten ...

Da – eine Alarmanlage wurde ausgelöst; schon hat man sie abgestellt; doch ein Hund bellt. Bis zu diesem Augenblick hatte ich noch nicht einmal das Bellen eines Hundes gehört ...

Gestern abend bin ich mit Eli zur Klagemauer gegangen, zum Kol Nidre-Gebet. Anfangs waren nur wenige Leute da. Doch ungefähr eine Stunde nach Anbruch der Nacht, als die Menschen aus den Synagogen strömten, stiegen dichtgedrängte Gruppen zu uns herab. Scheinwerfer beleuchteten von den Dächern der umliegenden Gebäude herab die Mauer, und ein Vogel, der vielleicht in einer der Mauerspalten nistete und wohl durch das ungewöhnlich laute Stimmengewirr erschreckt war, flatterte an der Mauer entlang und stieß von Zeit zu Zeit gegen die riesigen Steine des Herodestempels. Da bemerkte ich, daß, wenn es ganz dunkel wird, sich die Kuppel der Omar-Moschee dunkelgrün färbt, während die Kuppel der Al-Aksa-Moschee blau, tiefblau wie die Nacht wird.

Erinnerung an ein anderes Kippur-Fest, 1973, vor nun schon vier Jahren. Wir bewohnten damals in der Metudella-Straße eine kleine Wohnung mit Blick auf das Kreuztal und die Hügel des Nationalmuseums. Seit dem Morgen schon schien es mir, als ob dieser Tag durch etwas Ungewöhnliches gestört war. Von Zeit zu Zeit war das Geräusch eines Wagens in den benachbarten Straßen zu hören; bereits am frühen Morgen zogen Flugzeuge im Tiefflug über die Stadt. Seltsam. Und doch, als ich mittags im Halbdunkel vor mich hinträumte, hatte ich trotz der ungewöhnlichen Zeichen, die ich an diesem Morgen wahrgenommen hatte, nicht die geringste Vorahnung.

Zwar schien ein Krieg nicht ausgeschlossen; da von unserer Seite aus nichts unternommen wurde, zog mancher eine erneute bewaffnete Auseinandersetzung in Betracht, doch diesen Krieg erwarteten wir für eine ungewisse Zukunft – im übrigen machten wir uns darüber keine ernsten Sorgen. Hatten wir nicht alle mit eigenen Augen die uneinnehmbaren Bunker an den flachen Ufern des Suez-Kanals gesehen, wußten wir nicht aus guter Quelle, daß dieses schmutzige, unbewegliche Gewässer notfalls der größte Seefriedhof der Geschichte werden würde? Wenn wir öffentlich eine nachgiebigere Haltung forderten, wurden wir von manchen als Defätisten bezeichnet.

Ich wunderte mich über nichts mehr. Trotz der Abneigung, die das Aufbrechen eines elementaren und zugleich mystischen Nationalismus bei mir hervorrief, hatte ich nach dem Sechs-Tage-Krieg die von unserer Seite verkündeten Thesen in ihren wesentlichen Punkten akzeptiert, und ich verteidigte sie, so gut ich konnte. Ich beteiligte mich aktiv an den Diskussionen, die von Zeit zu Zeit im französischen Fernsehen und anderswo stattfanden, übrigens nicht immer ohne gewisse Bedenken. Ich habe das indirekt am Ende eines Buches zum Ausdruck gebracht, das damals entstand. Als ich im Laufe der Monate, ja der Jahre begriff, daß wir trotz allem äußeren Anschein die Unbeweglichkeit zum Prinzip erhoben hatten, distanzierte ich mich offen immer mehr von den offiziellen Thesen.

Niemand hatte ein Gefühl von Dringlichkeit. Man kämpfte unbedenklich mit Hilfe von Argumenten. Der Alltag nahm seinen gewohnten ruhigen Verlauf, und es sah so aus, daß wir uns noch jahrelang in dieser Sackgasse befinden würden. An unserem Recht ließ sich zweifeln, wer aber hätte an unserer Stärke gezweifelt?

Am 6. Oktober 1973 um zwei Uhr heulten überall in der Stadt die Sirenen. »Ein Verrückter«, sagte ich zu mir, »ein Verrückter . . .« Doch instinktiv hatten wir uns alle erhoben, und da das Geheul der Sirenen nicht aufhörte, stürzten wir nach einem Augenblick des Zögerns zur Treppe. Auf dem Treppenabsatz im 2. Stock stießen wir auf den alten Richter K. und seine Frau und auf Ruth H. Immer noch heulten die Sirenen, Ruth, die an diesem radiolosen Tag die BBC hörte, übermittelte uns die letzte Kurznachricht: Irgend etwas passierte im Vorderen Orient. Ich eilte wieder hinauf und suchte auf gut Glück den Sender Kol Israel: »Die syrischen und ägyptischen Streitkräfte haben auf beiden Fronten angegriffen. Heftige Kämpfe . . .« Die Erde begann für uns zu beben.

Im August 1944 griffen die F.F.J., französische Widerstandskräfte, Montluçon an. Die Stadt wurde besetzt; und durch die Ligusterhecke konnte man mit Maschinenpistolen bewaffnete junge Leute auf Militärfahrzeugen den Boulevard entlangfahren sehen. Die Deutschen hatten sich in der Kaserne verschanzt. Um das befestigte Viereck wurde ungefähr eine Woche lang erbittert gekämpft. Nachts stiegen wir abwechselnd auf die Klosettschüssel und beobachteten die aufflackernden Lichter, und jedesmal, wenn die Granaten einschlugen, zitterten wir vor Erregung, aber auch weil wir uns länger als unbedingt erforderlich an diesem wenig empfehlenswerten Ort aufhielten.

Die Sodalität wünschte sicher nicht den Sieg Deutschlands, doch die als kommunistisch und atheistisch verschriene Résistance wurde gleichwohl abgelehnt. In allen Dingen waren wir dem Marschall treu ergeben – was mich veranlaßt, von zwei ähnlichen Begebenheiten zu sprechen, die mein Gewissen belasten; bei der einen Begebenheit geht es um Jean-Marc, bei der zweiten um den kleinen Michel.

Jean-Marc war blond, ungefähr dreizehn Jahre alt. Er war sehr schön und von uns allen der einzige künstlerisch Begabte; er malte sehr fein und phantasievoll, und seine Finger waren stets mit ungeheuren Tintenflecken verziert. Doch seit einiger Zeit gehörte Jean-Marc nicht mehr ganz zu uns. Während des Unterrichts im Zimmer von Madame Dutour begann er – vor ungefähr zehn von uns – seltsame Grimassen zu schneiden. Madame Dutour hielt inne und sah ihn an, ohne etwas zu sagen. Plötzlich stieß Jean-Marc in der allgemeinen Stille hervor: »Madame, der Teufel führt mich in Versuchung.« Wir bemerkten Schwefelgestank.

Der Fall Jean-Marc wurde noch bedenklicher durch die gaullistischen Ansichten, die er von seinen Eltern hatte. Dieser kleine Normanne war für die Résistance, und er hatte den Mut, das auch zu sagen. Die Strafe folgte auf dem Fuße: Wenn Madame Dutour oder Madame Robert mit uns Großen über den Marschall sprechen wollten, versammelten wir uns im »Salon« unter dem Bild von Frankreichs Retter.

Jean-Marc wurde davon ausgeschlossen. Durch die Glastüren sah man, wie er allein und geächtet auf der Terrasse umherstrich, oder sich im Hof langweilte; dort – und das war der Gipfel der Erniedrigung – waren nur die Kleinen, jene, die ohnehin nichts verstanden. Wie wohl wir anderen uns fühlten, und wie glücklich ich war, daß ich zu der brüderlichen Gemeinschaft gehörte und diesen Geächteten mit verachtungsvollem Blick betrachten konnte. Jean-Marc verließ uns kurz nach der Befreiung, ob des Teufels oder de Gaulles wegen, oder weil seine Eltern es so wollten – ich weiß es nicht. Doch daß ich wie alle anderen handelte, beschämt mich noch heute.

Michels Fall ist schnell erzählt. Im Verlauf der Kämpfe in Montluçon machten wir uns alle darüber lustig, daß es den »Fifis«* nicht gelang, die Kaserne einzunehmen. In einer Pause konnte Michel, einer der »Kleinen«, ein zehnjähriger Junge aus Montluçon mit rundem Gesicht, nicht mehr an sich halten: »Aber das sind doch auch Franzosen!« schrie er und fing an zu schluchzen. Wir fielen mit sarkastischen Bemerkungen über ihn her – ich machte da keine Ausnahme. Man stelle sich nur vor, die »Fifis«, diese Schlappschwänze gegen die Wehrmacht!

Jean-Marc und Michel wurden so zu schlichten Helden, da sie der allgemeinen Verachtung gegenüber standhielten, da sie Mut und Unabhängigkeit bewiesen in einem Alter, wo man so selbstverständlich der breiten Masse folgt. Mögen sie nach vierunddreißig Jahren dieses kleine Zeichen der Freundschaft und der Dankbarkeit akzeptieren.

Die Kaserne wurde erobert, das Tausendjährige Reich besiegt. Der Krieg war zu Ende. Ich erinnere mich noch genau an den Tag des Sieges. Die Glocken läuteten, die Stadt befand sich im Freudentaumel: »Das ist nicht wie

* »Fifis«: *Membre des Forces Françaises de l'Intérieur*, die bewaffnete Armee der Résistance [Anm. d. Ü.].

1918«, sagte Madame Robert mit Bedauern zu uns. »Und dann ist da der arme Marschall. Laßt uns für ihn beten.« Trotzdem machten wir unseren Spaziergang, und ich glaube, daß uns die allgemeinen Freudenbekundungen der Bevölkerung monströs und unanständig vorkamen. Überall drängten sich die Menschen und umarmten und küßten sich, so daß wir die Augen senkten, ohne aber kehrt zu machen wie damals, als wir bei einem Spaziergang in der Ferne eine Schar Pensionsschülerinnen von Sainte-Jeanne hatten auftauchen sehen. Lothringer Kreuze sowie Hammer und Sichel hatten auf den Mauern die Plakate mit der alliierten Schnecke, die die Deutschen angeschlagen hatten, verdrängt, und über allem strahlte mit törichtem Gesichtsausdruck der unerschütterliche Fernandel.

So gab es bei uns kein *Te Deum,* doch waren wir in ständiger Sorge um das Schicksal des Siegers von Verdun. Als später dann der Prozeß begann, lasen wir im Speisesaal in alter Treue Maître Isornis Plädoyers, während der Staatsanwalt, wahrscheinlich ein Freimaurer, unser aller Verachtung genoß. Lange noch blieben die Portraits des Marschalls an den Wänden hängen, und als man sie endlich abnahm, zeigte dies auch in Saint-Béranger das Ende einer Epoche an.

Der Krieg war zu Ende; meine Eltern war nicht zurückgekommen. Das Rote Kreuz glaubte, in Theresienstadt ein Paar mit dem Namen meines Vaters und meiner Mutter identifiziert zu haben, doch wegen einer Typhusepidemie war eine Quarantäne verhängt worden; man mußte warten. Ein unwirkliches Warten: Die Tage vergingen ohne irgendein Zeichen. Und in dieser ganzen Zeit fragte ich mich: Wie werde ich meinen Eltern entgegengehen? Werde ich überhaupt meine Freude ausdrücken können?

Nicht ohne Schaudern lese ich den Brief wieder, den

ich am 25. Mai 1945 an Madame M. de L. schrieb, die auch meine Patin war. Ich war damals zwölfeinhalb Jahre alt, und das hier war aus mir geworden:

»Liebe Madame,
Ich muß Ihnen vieles mitteilen. Gerade vor einer halben Stunde hat mich Frau Fränkel besucht, und darüber möchte ich mit Ihnen sprechen:

Sie kommt, und nach ein paar Worten frage ich, ob sie keine Nachrichten von meinen Eltern hat. Sie antwortet nein, und wir kommen auf meine Großmutter zu sprechen. Hier, was sie (ungefähr) zu mir gesagt hat:

– Wenn deine Eltern zum Beispiel nicht wiederkommen, möchtest du dann hierbleiben?

– Ich weiß nicht. Wenn ich niemanden habe, dann ja.

– Aber willst du dann nicht mit deiner Großmutter gehen?

– Wenn sie wieder nach Prag zurückkehrt, dann ja!

– Aber wenn sie nun in Stockholm bleibt, möchtest du dann zu ihr gehen?

– Ich weiß nicht, ich möchte nicht ständig in der Welt umherziehen.

– Warum nicht?

– Weil das meine Ausbildung stört und dann ... ist da die Religion (Indem ich das sagte, habe ich eine große Dummheit begangen, denn gerade die Sache mit der Religion quält sie besonders ...)

Darauf hat sie zu mir gesagt:

– Die Religion spielt doch keine Rolle. Überall gibt es Religionen, und niemand wird dich zwingen, deine aufzugeben.

– Warum fragen Sie mich das alles?

– Weil ich es wissen will! Weil mir Madame M. de L. gesagt hat, daß du hierbleiben willst. Das willst du doch nicht wirklich, oder?

– Ich wäre lieber bei meiner Familie, doch da gibt es niemanden mehr ...

– Ja! Doch, bitte, sage vor allem niemandem, was wir gerade gesprochen haben.

Dann hat sie nichts weiter gesagt ... Sie hat zu lachen begonnen ... Danach hat sie zu mir gesagt:

– Weißt du, ich möchte auch nicht, daß du hierbleibst. Geht es dir gut hier?

– Oh, ja! Sehr gut!

– Es fehlt dir nichts ... Weißt du, du kannst es mir ruhig sagen, wenn dir irgend etwas fehlt.

– Oh, wenn mir etwas fehlt, dann gibt man es mir!

– Weißt du, ich hätte dich gern bei mir gehabt.

– Aber das ist unmöglich.

– Ich weiß. Ich habe mich deswegen beinahe mit der Direktorin gestritten, doch sie hat nicht gewollt. Erlaubt man denn den anderen nicht, das Heim zu verlassen?

– In den großen Ferien schon.

– Und in den Weihnachts- und Osterferien?

– Ach, selten!

Dann haben wir noch ein wenig gesprochen. Sie fragte mich, ob ich mich an bestimmte Personen erinnere, und sie hat mich gefragt, ob ich den Mann kenne, der mit ihr auf der Straße war. Ich antwortete ihr nein. Da hat sie mir gesagt, daß er meinen Vater im Krankenhaus gekannt hat (sie hat wohl die Absicht, sämtliche Bekannte zusammenzutrommeln). Das ist so ziemlich alles Wichtige. Außerdem hat sie mir versprochen, einmal am Donnerstag mit Jojo wiederzukommen.

Liebe Patin, ich bitte Sie, sehen Sie zu, was zu tun ist, und sprechen Sie mit Frau Fränkel, wenn das nötig ist. Hoffentlich ist sie nicht zu böse darüber, daß ich Ihnen alles erzählt habe.

Liebe Patin, viele Küsse von Ihrem kleinen Paul.«

In diesem Jahr fuhren fast alle Schüler von Saint-

Béranger in die Ferien: Nur drei oder vier von uns blieben in der verlassenen Schule zurück. Wir lungerten in den Klassenzimmern herum, und sogar für Madame Robert, meinte ich zu bemerken, schien die Zeit etwas aus der Ordnung. Ohne große Begeisterung zogen wir zu unseren täglichen Spaziergängen los, und oft kamen wir nur bis zu den Vororten der Stadt: Wir trödelten die Schlackenhalden entlang und warteten, daß die Sonne über dieser melancholisch-häßlichen Industrielandschaft unterging.

Abends erwartete uns dann unvermeidlich der leere Schlafsaal. Madame Robert wünschte uns eine gute Nacht und ging in ihr Zimmer. Wenige Augenblicke später schliefen meine drei Kameraden, und ich lag einsam und allein da und starrte auf die verschwommenen Umrisse des Saales im blauen Licht der Nachtlampe. Und eine unbestimmte, unerträgliche Angst stieg in mir empor.

Es gibt nichts Schlimmeres als diese diffuse, gegenstandslose Angst: Man fühlt, wie sie einen langsam überfällt, man kennt die Vorzeichen, ist vor Schrecken überwältigt bei dem Gedanken, was sich da zusammenbraut, überwältigt, aber auch wie gelähmt. Man kann völlig gedankenlos die Wand anstarren oder aber versuchen, an irgend etwas ganz Konkretes zu denken (damals war ich absolut noch nicht in der Lage, mir diese verschiedenen Tricks auszudenken), doch alles umsonst: Unerbittlich breitet sich die Angst weiter aus. Der Mund ist wie ausgetrocknet; man schwitzt oder friert, je nachdem; die Kehle ist wie zugeschnürt; man atmet immer hastiger; das Herz schlägt immer schneller, und bald bricht einem der Schweiß aus und man zittert. Doch das sind nur äußere Zeichen, Zeichen, die man kaum bemerkt, an die man sich erst hinterher erinnert, denn im Augenblick selbst zählt einzig und allein die Angst. Doch Angst wovor? Eine gegenstandslose Angst, eine leere Angst – Angst an sich. Man weiß nur eins: Nur noch einen Moment, und man wird es nicht mehr aushalten, man wird zerspringen oder sich auflösen; die äußerste Grenze dessen, was man ertragen kann, ist erreicht und doch ...

Ich glaubte, daß ich jeden Augenblick aufstehen, schreien, um mich schlagen, zwischen den Betten entlangeilen und an Madame Roberts Tür rütteln oder auch meinen Nachbarn, Philippe Morin wecken würde, um ihm zu sagen ... Um ihm was zu sagen? Ich stellte mir die Szene vor: Ich wecke den braven guten Philippe, völlig von Panik ergriffen schüttle ich ihn, er richtet sich mit einem Ruck auf: »Was ist los? Was ist passiert?« Er reibt sich die Augen. Was denn – es ist noch Nacht? Und dann bemerkt er Paul-Henri, der sich keuchend über ihn beugt: »Was ist los, Paul-Henri? Bist du verrückt?« »Philippe, hilf mir, ich habe Angst ...« Doch nichts von alledem geschah, denn ich rührte mich nicht aus meinem Bett, nichts tat ich. In dem Augenblick, als ich meinte ersticken, vielleicht gar zerspringen zu müssen, flutete die Angst zurück, und ein seltsames Wohlgefühl breitete sich in mir aus. Erschöpft schlief ich ein.

Nach einiger Zeit veränderte sich diese diffuse Angst, nahm genauere Konturen an, war auf etwas ganz Konkretes gerichtet: Nun hatte ich Angst vor dem Tod. Man wird sagen, alle haben Angst vor dem Tod. Gewiß, doch mit zwölf Jahren ist diese Angst höchst ungewöhnlich. Und wenn auch alle vor dem Tod Angst haben, so stellen sich doch nur wenige jeden Abend ihr eigenes Sterben vor, erleben sozusagen ihre letzte Stunde. So weit war es mit mir. Ich erfuhr damals am eigenen Leib, was »kalter Schweiß« bedeutet, denn ich fühlte buchstäblich, wie sich meine Stirn mit eiskaltem Schweiß bedeckte. Ich zog die Bettücher über mich, verkroch mich unter der Decke. Vergebens. Ich stellte mir das unvermeidliche Ende vor, das mich, was immer ich auch tat, erwartete, und nichts konnte meine Gedanken davon abbringen. Ich war in einem Kerker eingeschlossen und wußte, daß der unerbittliche Richter schon unterwegs war, daß er niemals seinen Weg verfehlte und niemals umkehrte;

eines Tages würde er die Tür öffnen. Ich stellte mir dann den letzten Augenblick meines Lebens vor, ich versuchte, mich an den Rest klaren Verstands zu klammern, an das letzte Fünkchen Bewußtsein, aber nein, erbarmungslos glitt ich ins Leere . . . Eine letzte Welle hob mich empor, dann flutete die Angst wieder zurück.

Bald war ich auch tagsüber nicht mehr davor sicher: Wie in alten Erzählungen die mephitischen Dämpfe, so stieg die Angst aus dem Abgrund der Nacht empor und überfiel mich in der Abenddämmerung, genauer noch am späten Nachmittag und manchmal auch schon am Morgen.

Wenn wir losspazierten, wußte ich, daß ich gegen fünf Uhr, bei Einbruch der Dämmerung, die erste Welle der Angst spüren würde. Bei allen diesen Spaziergängen gelang es mir, nichts zu sagen, nichts nach außen hin zu zeigen, obwohl es doch mein innigster Wunsch war, daß man es wüßte. Während die Erinnerung an diese Nachmittage heute ziemlich verblaßt ist, werde ich doch niemals die Angst vergessen, die mich morgens überfiel, ganz besonders an einem Morgen.

Ich sollte bei der Frühmesse in der »großen Kapelle« ministrieren. Es war noch dunkel, als ich in Sainte-Jeanne ankam. Ich schlüpfte in meine rote Soutane und wollte gerade das Chorhemd anziehen, als ich die ersten Anzeichen der Angst wahrnahm. Man stelle sich meine Panik vor, denn dieses Mal konnte ich nicht einfach warten, daß die Welle verebbte. Ich mußte ministrieren! Ich mußte Antworten geben, aufstehen, die gewohnten Handgriffe tun, bestimmte Worte sagen, und ich fühlte, daß ich dazu absolut nicht in der Lage war. Bewegungslos stand ich da, das Chorhemd in der Hand, und ein Gedanke, schlimmer noch als alle anderen, tauchte in mir auf: Ich war dazu verdammt, bis an mein Ende in diesem Zustand weiterzuleben. Mein Leben würde von nun an nur noch eine einzige, lange, stumme Qual sein, eine ständige Angst, die mich nie mehr verlassen würde, von der ich mich nie mehr befreien könnte. Pater H. steckt den Kopf durch die Tür: »Los, beeil dich!« Mechanisch zog ich das Chorhemd über, nahm das Weihrauchfaß, und mechanisch ging ich vorwärts. Ich stolperte nicht, ich ließ das Meßbuch nicht fallen, auch nicht das Meßweinkännchen und das Ziborium, ich fiel nicht in Ohnmacht, und ich antwortete, ohne mich ein einziges Mal zu versprechen ... Wir waren in jenem Augenblick zu dritt: einer, der Angst hatte, einer der ihn betrachtete und einer, der wie ein Automat ministrierte. Wurde ich etwa verrückt?

Gern hätte ich mich Madame Dutour anvertraut, mich an sie gedrückt, um mich bei ihr auszuweinen, ihre beruhigenden Worte zu hören, und von ihr gestreichelt zu werden, doch ich wagte es nicht.

Dann – eine Zeitlang – verschwand die Angst.

Im August kam Frau Fränkel wieder. Noch einmal wollte sie wissen, ob ich bereit sei, nach Schweden zu fahren. Noch einmal fragte ich sie nach meinen Eltern. Da sah sie mich an, und ganz langsam und sehr deutlich sagte sie: »Mein armer Paul, verstehst du denn nicht, daß deine Eltern tot sind?«

4. Oktober 1977

Wenn ich in diesen Seiten blättere, fühle ich mich manchmal zutiefst entmutigt. Niemals werde ich das zum Ausdruck bringen, was ich eigentlich sagen möchte; ich weiß, diese Zeilen sind sehr weit von meinen Erinnerungen entfernt, und diese wiederum sind nur einzelne Fragmente aus dem Leben meiner Eltern, nur Teile dessen, was ihre Welt, was meine Kindheit war. Ich gebe zu, daß mich diese Gedanken heute mehr denn je bedrücken. Soll ich weiterschreiben?

Draußen ist es zum ersten Mal in dieser Jahreszeit grau verhangen. Bald werden die Kinder aus der Schule kommen. Im Augenblick ist alles ruhig. Die gewohnten Geräusche der Straße dringen nur gedämpft zu mir, als habe das trübe Grau die Stadt zum Schweigen gebracht.

Wenn uns die Menschen einer nach dem anderen verlassen, setzt sich ihr Bild von selbst in uns fest und lebt in den Erinnerungen derer fort, die übrigbleiben, in den Erinnerungen und täglichen Gesprächen, in den Fotoalben, die man manchmal aus dem Schrank hervorholt, den Kindern zeigt und jenen erklärt, die nichts aus jener Zeit gekannt haben. Von Zeit zu Zeit schmückt man ein Grab, und da sind die Namen auf dem Stein eingraviert, grundlegende Symbole, durch die Verbindungen aufrechterhalten werden, Generationen einander ablösen und miteinander verbunden bleiben. Für mich aber vollzog sich ein jäher Bruch, der sich im Alltäglichen nicht einordnen läßt. Mit welchen Worten könnte man denn in banal-freundlichem Geplauder diese Dinge sagen? Briefe sind da, sowie zwei oder drei vergilbte Fotografien. Bald werden diese letzten Spuren den anderen nichts mehr zu sagen haben. Ich muß es also aufschreiben. Schreiben bedeutet, die Konturen der Vergangenheit mit Linien nachzuzeichnen, die weniger vergänglich sind als alles übrige, Schreiben bedeutet, das Dasein eines Menschen festzuhalten, bedeutet, von einem Kind erzählen zu können, das eine Welt untergehen und eine andere entstehen sah.

Die Schule ist aus. Da kommt Michal wie ein Wirbelwind ... Auf der ältesten der drei Fotografien, die ich von meiner Mutter habe, ist sie als kleines Mädchen zu sehen: die gleichen Züge, das gleiche Lächeln.

Ich kam in die dritte Klasse; es stand nunmehr fest, daß dies mein letztes Jahr in Saint-Béranger sein würde. Ein Vormundschaftsgremium hatte sich meiner angenommen, ein Vormund war ernannt worden, und Ende des Schuljahres sollte ich seiner Obhut unterstellt werden.

Die Damen der Sodalität, die sich bewußt waren, welchen Gefahren mein Glaube durch die Rückkehr in die Welt ausgesetzt war, versuchten ihrerseits mich gegen alle Tücken zu feien. Ich wurde gefirmt und feierte dann, noch bevor ich das Alter dafür erreicht hatte, die heilige Kommunion. Der Lehrer und Jesuitenpater L., ein ehemaliger Schüler von Saint-Béranger, kam manchmal nach Montluçon, um Exerzitien abzuhalten. Er hatte mich in sein Herz geschlossen, und Madame Dutour meinte, daß ein Gespräch mit dem Pater von Nutzen wäre. Da er in der Jesuitenschule in Saint-Etienne unterrichtete und nicht mehr viel Zeit zu verlieren war, machte ich mich kurz nach Neujahr auf den Weg.

Diese Reise wurde für mich in jeder Hinsicht der Beginn eines großen Abenteuers. Man stelle sich vor: Zum ersten Mal seit drei Jahren verließ ich die Rue de la Garde Nr. 15, zum ersten Mal nahm ich allein den Zug, und das um drei Uhr morgens mit Umsteigen in Roanne! Man vergesse auch nicht die damalige Zeit: Denn eine Bahnreise im Januar oder Februar 1946 war wahrhaftig etwas Abenteuerliches. Die fadenscheinigen Mäntel, die schäbigen Jakken und der Schweißgeruch im Abteil, aber auch der schmutzige Schnee auf den Böschungen und der dichte Nebel, in dem nur Telegraphenmasten eilig vorüberhuschten und Bahnhöfe unvermittelt auftauchten – dies alles löste in mir, dem Jungen mit dem seltsam dunkelblauen Gewand und dem halbleeren Pappkoffer, ein intensives, unverständliches Hochgefühl aus, ein echtes Gefühl der Liebe und brüderlichen Verbundenheit.

Als ich in Saint-Etienne ankam, hatte ich es keineswegs eilig, das Heim der Sodalität zu erreichen, wo ich die Nacht verbringen sollte. Ich bummelte durch die Straßen. Ich wußte, daß große Veränderungen in meinem Leben unmittelbar bevorstanden, doch konnte ich mir nicht genau vorstellen, wodurch diese Veränderungen ausgelöst, noch worin sie eigentlich bestehen würden: Ich witterte die Zukunft.

Für diese Reise hatte ich mein erstes Taschengeld erhalten. Und ohne mir dessen bewußt zu sein, gehorchte ich wie von selbst den Befehlen der Vergangenheit: Ein zartes Band entstand von neuem, und ich merkte es nicht einmal. Denn was hätte ich mir mit diesen wenigen Francs kaufen können? Ich zögerte nicht einen Augenblick, ich kaufte zwei Bücher. Als ich die kleine Buchhandlung betrat, erkannte ich sofort den vertrauten Geruch von bedrucktem Papier und staubigen Einbänden wieder. Zwar waren das hier nicht die prächtigen Exemplare der väterlichen Bibliothek, aber es waren Bücher. Keine Lehrbücher, Meßbücher oder irgendwelche Lebensbeschreibungen der Heiligen. Richtige Bücher.

Ich gebe zu, meine Wahl ist nicht so ohne weiteres zu erklären. Verzichten wir also darauf. Ich kaufte eine Höhlenforschergeschichte, deren Titel mir entfallen ist, und *Premier de cordée* von Frison-Roche. Abgrund und Gipfel ... ich las diesen Bergroman gleich am selben Abend und fand großen Gefallen daran. Sofort nach meiner Rückkehr nahm man ihn mir ab, denn als die guten Damen darin blätterten, entdeckten sie nicht nur die Schilderung männlich harten Lebens, sondern auch eine kurze Liebesgeschichte.

Am nächsten Morgen suchte ich die Jesuitenschule, um dort den Pater zu treffen. Der Pförtner führte mich nicht in das kleine Besuchszimmer neben dem Eingang, sondern direkt in das Lehrerzimmer. Vom ersten Moment an fühlte ich mich dort wohl: die fleißige Atmosphäre, die sich auf den Tischen stapelnden Bücher und vor allem die Musik, die leise aus einem Radio kam. Wissen zeigte sich hier unter einem ganz anderen Aspekt als in Montluçon. Würde auch ich also Jesuit werden? Könnte auch ich zu dieser Elite emporsteigen? Genau das wünschte ich an jenem Morgen, und darüber wollte ich mit Pater L. sprechen. Noch drei

Jahre, dann das Noviziat. Der Weg war vorgezeichnet: Welche Begeisterung!

Der Pater schlug einen Spaziergang vor. Nach einem kurzen Gang durch die Straßen der Stadt gingen wir in eine Kirche. Der Tag war grau und düster, kein Lichtschimmer drang durch die Kirchenfenster; doch die winzigen Flämmchen der vielen Kerzen links und rechts neben dem Altar verliehen dieser gar nicht besonders schönen Kirche eine Atmosphäre der Unwirklichkeit.

Schnell hatten wir das Schiff durchschritten, hielten uns dann aber ein wenig in einer der Seitenkapellen auf. Leise sprachen wir vom Krieg und meinen Eltern und betrachteten das Bildnis eines gekreuzigten Christus, das so nachgedunkelt war, daß im flackernden Licht der Kerzen Gesicht und Körper im Leeren zu schweben schienen. »Sind deine Eltern nicht in Auschwitz gestorben?« fragte der Pater. Was bedeutete dieser Name? Wo war Auschwitz? Dem Pater mußte klar werden, daß ich fast nichts über die Judenvernichtung wußte: Der Tod meiner Eltern blieb für mich eingehüllt in undeutliche Bilder, nebelhafte Umstände, die mit dem wahren Geschehen in keinem Zustammenhang standen. Und so vernahm ich vor dieser dunklen Christusgestalt: Auschwitz, die Züge, die Gaskammern, die Verbrennungsöfen, Millionen von Toten ...

Nachdem wir wieder in die Schule zurückgekehrt waren, las der Pater einige Seiten aus der Autobiographie eines französisch-jüdischen Historikers, in der dieser beschreibt, wie er noch als Kind zum ersten Mal den Antisemitismus kennenlernte. Um wen handelte es sich? Heute könnte ich es nicht mehr sagen, doch immer wieder an diesem entscheidenden Tag hatte ich den Eindruck, daß sich die wesentlichen Teile eines bisher zusammenhanglosen Puzzlespiels plötzlich ineinanderfügten.

Zum ersten Mal fühlte ich mich als Jude – nicht mehr heimlich oder gegen meinen Willen, sondern in völligem

Einverständnis mit mir selbst. Ich wußte zwar nichts vom Judentum, und ich war noch Katholik. Doch etwas hatte sich geändert; eine Verbindung war wieder hergestellt, eine zwar noch unklare, vielleicht widersprüchliche Identität tauchte auf, die jedoch nunmehr wieder einen sicheren Bezugspunkt hatte: Auf die eine oder andere Weise war ich Jude – was dies auch immer in meiner Vorstellung bedeutete.

Das Verhalten des Paters beeinflußte mich zutiefst: Ihn so bewegt und achtungsvoll vom Schicksal der Juden sprechen zu hören, mußte für mich eine große Ermutigung sein. Er drängte mich nicht dazu, mich für den einen oder den anderen Weg zu entscheiden – vielleicht hätte er es lieber gesehen, daß ich Katholik blieb –, doch sein Sinn für Gerechtigkeit (oder war es ein tiefes Gefühl der Barmherzigkeit?) stand mir das Recht zu, selbst zu urteilen, und er half mir dabei, wieder an meine Vergangenheit anzuknüpfen.

Ich habe nicht mehr die geringste Erinnerung an meine Rückkehr nach Montluçon, und doch, wie erregt muß ich gewesen sein! In welcher Verwirrung muß ich mich wohl befunden haben? Ich war also voll und ganz Jude, doch war ich auch Katholik und zu jener Zeit fest entschlossen, es auch zu bleiben. Wie also das eine mit dem anderen vereinbaren, wie vor allem wissen, was es eigentlich bedeutete, Jude zu sein?

Vom Judentum konnte ich nur eine sehr vage Vorstellung haben, ein Bild, das aus höchst unterschiedlichen Elementen zusammengesetzt war: meine Abstammung natürlich, dann die Kinder von Montmorency und von La Souterraine, Fränkel und seine Witze, die Chanukkah-Erzählung, der Wucherer Abraham, die Henker Christi, auch Bergson, und nun Auschwitz und die lange Kette der Verfolgungen und die Toten; das Bild unseres Todes ...

War es nicht verrückt, Jude zu sein, wo doch Paul-Henri Ferland mit dem Judentum nichts mehr zu tun hatte? Denn Katholik konnte ich nunmehr ohne Zögern bleiben: War das, was mich mit der Vergangenheit verband, nicht endgültig verschwunden? Ich träumte ständig von meiner priesterlichen Zukunft und war überzeugt von meiner Berufung. Woher kam also dieses Verlangen nach Rückkehr, Rückkehr zu einer dezimierten, erniedrigten, elenden Gruppe? Wäre ich in einer »echt« jüdischen Familie geboren worden, hätte ich zumindest zusammenhängende Erinnerungen, doch in meinem Fall gab es diese ständige Mahnung nicht: Ich war frei.

Welche Verwandlung geschah auf der Reise in meinem Inneren? Welcher Instinkt war es, der unter den Banden erworbener Treue eine tiefinnere Treue hervorbrechen ließ? Unergründlicher Bruch, ausgelöst durch die erstaunliche Entdeckung in Saint-Etienne.

Wieder in Saint-Béranger bat ich, mich nicht mehr bei meinem Leihnamen zu nennen; ich nahm wieder meinen richtigen Namen an.

Drei oder vier Monate nach der Rückkehr von Saint-Etienne verließ ich Saint-Béranger endgültig und zog zu meinem Vormund und seiner Familie. So wie ich mich nur noch verschwommen an meine Rückkehr nach Montluçon erinnere, so hat sich auch die Erinnerung an meine Abreise verwischt. Tief in meinem Inneren hat diese Phase meiner Kindheit für mich etwas seltsam Anziehendes und doch zugleich auch Abstoßendes bewahrt. Erst fünfundzwanzig Jahre später entschloß ich mich, zum ersten Mal wieder Néris-les-Bains und die Rue de la Garde aufzusuchen: Mein Sohn Eli, gerade zehn Jahre alt, begleitete mich.

Dritter Teil

1

24. Oktober 1977

Semesterbeginn. Auf dem Rasen vor dem Seminarsaal wärmen sich die Studenten in der Sonne; vor dem Eingang zur Bibliothek reges Kommen und Gehen wie stets zu Beginn des Studienjahrs. Alles ist friedlich. Doch unter die bunten Hemden und das ausgewaschene Blau der Jeans mischen sich viele khaki-farbene Flecken: Uniformen.

Thema des Seminars ist eine nun schon alte Frage: Welche Bedeutung haben die Mythen in unserer Gesellschaft? Lange unbeweglich und in ihrer Kraft gezügelt, bleiben sie dennoch lebendig. Man weiß, daß sie jederzeit an die Oberfläche dringen, wie ein Lauffeuer oder jene Sturzbäche sich ausbreiten können, die sich plötzlich, wenn niemand damit rechnet, in ausgetrocknete Flußbetten ergießen, durch Ebenen hinabstürzen und alles auf ihrem Wege mit sich reißen. Auch bei uns sind die Mythen allgegenwärtig ...

Welche Werte werden denn hier eigentlich weitergegeben? Die Gesichter erscheinen jung, doch schon viele dieser Studenten haben wenigstens an einem Krieg teilgenommen ...

Und welche Werte kann ich weitergeben? Kann denn selbst auf indirektestem Wege eine so persönliche, so widersprüchliche Erfahrung hier ein Echo hervorrufen? Ich bin mir dessen nicht sicher. Soll man sich also auf die neutral-gleichgültige Haltung des Fachmanns beschränken oder aber nach Verwurzelung streben, so tun, als wäre alles in Ordnung, wieder klare Vorstellungen entwickeln, Vorstellungen, die das Leben und vielleicht das Sterben leichter machen? Bestand für mich der Ausweg nicht darin, mich an die erforderliche Ordnung zu klammern, an die unvermeidliche Vereinfachung, zu der die Zeit und die geschichtliche Sicht uns zwingen, und mit den Augen des Historikers zu sehen?

1961, vier Jahre nach meinem Aufenthalt in Schweden, wandte ich mich endgültig der Universitätslaufbahn zu. Augenzeugenberichte, Erzählungen, Archivdokumente vermittelten mir ein vielfältiges Bild, mit dessen Hilfe ich versuchte, den Sinn einer Epoche zu begreifen und die Vergangenheit, nämlich meine eigene Vergangenheit, in einen logischen Zusammenhang zu stellen. Auch Gespräche gehörten dazu. So reiste ich Ende 1962 nach Aumühle in Norddeutschland nahe der dänischen Grenze, um dort jenen Mann zu treffen, der einst Oberbefehlshaber der deutschen Marine gewesen war und dann nach Hitlers Selbstmord wenige Tage lang an die Spitze des in Trümmern liegenden Reiches trat, nämlich den ehemaligen Großadmiral Dönitz, der vom Nürnberger Gerichtshof zu zehn Jahren Gefängnis verurteilt worden war.

Ich hatte die Schweiz in den frühen Morgenstunden verlassen und wollte in der Nacht mein Reiseziel erreichen. Die Landschaft, die links und rechts der Straße an mir vorüberzog, die sich dem Blick ganz preisgab, begann bei Mannheim plötzlich ihr Aussehen zu verändern. Nicht eigentlich Angst oder Panik ergriff mich, sondern eher ein merkwürdiges Gefühl der Verzweiflung: Diese Autobahn hielt mich für immer in Deutschland gefangen; überall Deutschland, überall Deutsche. Ich hatte das Gefühl, in eine ausweglose Falle geraten zu sein. Die Gesichter, die in den schweren Wagen an mir vorüberfuhren, erschienen mir plötzlich eklig-fett und aufgedunsen; jedes einzelne der Verkehrsschilder am Straßenrand – in deutsch! – war ein kalter, von einer allmächtigen, destruktiven Polizeibürokratie erteilter Befehl ...

Später kehrte ich dann oft nach Deutschland zurück. Und mehr als einmal überfiel mich das gleiche Gefühl. Nicht so heftig jedoch, differenzierter. Da war zwar immer noch etwas Bedrohliches, Quälendes, die Falle, doch gleichzeitig auch ein Gefühl der Vertrautheit, angenehmer Vertrautheit: die Sprache, die Straßen, die Lieder, der Rhein, den ich nur ein einziges Mal damals in Kehl gesehen hatte, die mit Wein bedeckten Hänge, die alten Schlösser und Barockkirchen, alles war mir innigst vertraut. Und so studierte ich in den Archiven von Bonn, Koblenz oder Freiburg von morgens bis abends Akten, die Akten des Reichsaußenministeriums, des Reichspropagandaministeriums und viele andere; doch wie oft fühlte ich mich abends nicht hin- und hergerissen zwischen dem Wunsch, eine der so vertrauten Weinstuben aufzusuchen, und dem heftigen Verlangen, auf der Stelle meine Koffer zu packen, so schnell wie möglich zu fliehen, um jeden Preis das Land zu verlassen ...

Erst damals, als ich um die Dreißig war, begriff ich, in welchem Maße meine Sicht der Dinge von der Vergangenheit geformt wurde, wie sehr ich das Wesentliche durch ein besonderes Prisma sah, das sich niemals beiseite schieben ließ. Doch mußte man es denn beiseite schieben? Viele von uns schreiten so im Leben voran, ohne Gefühl für gewisse Farbtöne, für gewisse Nuancen und Zusammenhänge, doch in bestimmten Situationen dringt der Blick trotzdem weit über jene neutralen, aseptischen, normalen Bedeutungen hinaus, die uns die Realität anbietet. Mögen auch unsere Reaktionen manchmal seltsam erscheinen, so täusche man sich doch nicht: Wir wissen, daß hinter der harmlosen Oberfläche der Wörter und Dinge jeden Moment Abgründe auf uns lauern.

An das Gespräch mit Dönitz erinnere ich mich ganz genau, doch wie an etwas Unwirkliches. Er empfing mich bei Einbruch der Dunkelheit, hinter einem schweren Schreibtisch sitzend. Dahinter gingen große Fenster auf den Garten. Es wurde immer dämmriger, niemand schaltete die Lampe ein; bald schon sprachen wir im Halbdunkel.

»Ich versichere Ihnen, daß ich von der Judenvernichtung nichts wußte ...«

Worte, Phrasen, Leugnungen. Ich war plötzlich müde. Genügte es, die Vergangenheit einfach zu verleugnen, sie ohne Zögern zu verleugnen, damit sie für immer verschwand? Was tat ich hier bei diesem rätselhaften Mann, der nichts von der Welt durchblicken ließ, die ich zu enthüllen suchte?

Es war fast völlig dunkel geworden, und der schmale Lichtschein der Lampe, die nunmehr das Arbeitszimmer erleuchtete, gab der Gestalt, dem Zimmer, diesem Gespräch einen leicht gespenstischen Charakter:

»Herr Großadmiral, können Sie mir Ihr Ehrenwort als deutscher Großadmiral geben, daß Sie nichts wußten?«

Die Antwort kam sofort, präzis, ohne den Anflug eines Zögerns:

»Ich gebe Ihnen mein Ehrenwort als deutscher Großadmiral, daß ich nichts wußte ...«

Ich habe vor einigen Monaten den Film von Joachim Fest *Hitler, eine Karriere* in einem Münchner Kino gesehen. Blitzschneller Aufstieg, titanische Kraft, luziferischer Sturz: alles ist da. Über die Judenvernichtung nur ein paar Worte am Rande. Ein unwichtiger Schatten auf diesem grandiosen Gemälde. Wer nichts weiß, der sieht nur die Macht und den Ruhm und danach die Rache der Götter; oder vielleicht noch die langen Appelle vor der mit Hakenkreuzfahnen geschmückten Feldherrnhalle, die eingetaucht war in das Licht Tausender von Fackeln:

– Felix Alfarth!

– Hier!

– Andreas Bauriedl!

– Hier!

Wer nichts weiß, der sieht hier nur die mystische Verbundenheit mit der braunen Revolution und ihren Märtyrern.

So werden im Laufe der Jahre die Zeugnisse verformt, so zerbröckeln die Erinnerungen.

Nachdem ich Montluçon verlassen hatte, sollte ich »das Leben« und »die Welt« hinter den Mauern eines staubigen Provinzgymnasiums und in der Familie meines »Gegenvormunds«, eines kleinen jüdischen Kaufmanns, entdecken.

Wenn ich heute wieder daran zurückdenke, so finde ich seltsamerweise einen gewissen Zauber an den Straßen unserer kleinen Stadt mit ihren unregelmäßigen Bürgersteigen und schmalen Rinnsteinen, in der man an den Sommernachmittagen die Fußgänger zählen konnte. Das grünliche Wasser der Tümpel, die hier und da zwischen den Gärten auftauchten, sobald man das Stadtzentrum hinter sich ließ, scheint mir nicht eines gewissen Reizes zu entbehren, und die alten, in tiefstes Schwarz gehüllten Frauen, die stundenlang regungslos auf ihren Türschwellen saßen, vermitteln ein Gefühl der Dauer und Beständigkeit. Dieses provinzielle Frankreich war zwar archaisch, primitiv, altmodisch, aber auch stabil und tief verwurzelt. Wie sehne ich mich manchmal nach jener Unbeweglichkeit und ihrer unbewußten Ruhe. Welch Unterschied zu jener Welt, die ich in Prag flüchtig kennengelernt hatte, und zu jener, der ich nun begegnen sollte.

Mein neuer Beschützer und seine Frau waren in den zwanziger Jahren aus Rußland nach Frankreich eingewandert; vor dem Krieg hatten sie ein blühendes Stoffgeschäft im 4. Arrondissement von Paris. Doch soviel ich weiß, war der Anfang sehr schwer gewesen: Demütig mußten sie in den Gäßchen des Marais mit ihren Warenmustern von Tür zu Tür ziehen, die Wohnung in ein Warenlager verwandeln, die Woll- und Baumwollballen vier Etagen hinaufschleppen und sie auf wackligen Gestellen in den Fluren, im Schlafzimmer und sogar in der Küche stapeln, vor allem aber hieß es Konjunkturschwankungen und Krisen zum Trotz ausharren, um sich endlich einen, wenn auch noch so bescheidenen, Platz an der Sonne zu schaffen.

Der deutsche Einmarsch fegte alles hinweg, doch entkamen sie glücklicherweise den Razzien. Als ich zur Familie meines Vormunds kam, war ihre Existenz immer noch höchst ungesichert.

Während des Schuljahres blieb ich im Gymnasium; doch sonntags und in den Ferien nahm mich mein neuer Beschützer bei sich auf.

Oft habe ich seitdem an diese Familie gedacht, an den Typ von Juden, den sie verkörperte: Ich hatte da vor mir den russisch-polnischen Juden, der letzten Endes Israel geschaffen hat. Denk ich an sie, so habe ich stets ein bestimmtes Bild vor Augen, ein seltsames, aber wohl passendes Bild, das Bild vom Efeu. »Sich festklammern«, so könnte ihre Devise lauten. Sich festklammern an Felsen, nackten Mauern, den unfruchtbarsten Böden. Und was bedeutet es schon, wenn ein Zweig abgeschnitten oder eine Pflanze in Stücke geschnitten wird; bald schon ist das Blätterwerk genauso dicht und kräftig wie vorher. Efeu, Symbol der Lebenskraft und Ausdauer.

Ich fühlte mich völlig entfremdet. Der Wechsel von Saint-Béranger in diese neue Umgebung war der Wechsel von einer Welt in eine andere, und zwischen beiden gab es keinen Berührungspunkt, keine Verbindung. Die Familie meines Vormunds hatte auch mit meiner eigenen Familie keinerlei Ähnlichkeit; verglichen mit dem Rahmen meiner frühesten Kindheit war diese Familie tatsächlich das absolute Gegenteil. Dort Feingefühl und Kultur, hier jene derbe und gewissermaßen primitive Lebenskraft; dort das Bemühen um Distanz, gedämpfte Gefühle, zur Schau getragene

Kälte, hier Überschwenglichkeit, die schnell ins andere Extrem umschlagen konnten; dort fast keine Spur vom Judentum, hier eine beziehungsgeladene, gefühlsgesättigte Atmosphäre, reich an jüdischen Gebräuchen und Eigenheiten.

Mein Vormund war fromm. Wenn ich manchmal »zu Hause« schlief, konnte ich sehen, wie er sich frühmorgens in den Talith, den Gebetsmantel hüllte, die Gebetsriemen um Kopf und Arme schlang und sich mit atemberaubendem Eifer in seine Gebete stürzte. Nach der Prachtentfaltung in der »großen Kapelle« kam mir diese Art Frömmigkeit anfangs lächerlich vor. Dann aber gewöhnte ich mich daran, und allmählich empfand ich sogar diese ungezwungen formlose Art des jüdischen Gebets als echt. Doch das geschah erst später.

Was ich da heraufbeschwöre, ist im Grunde genommen die Atmosphäre des »Stetl«, der kleinen ostjüdischen Ortschaft, eine »Stetl«-Atmosphäre provinziell-französischer Färbung, die noch durch ein weiteres Merkmal charakterisiert wird: die Armut. Gnädigere Zeiten sollten wiederkehren, doch die Not dieser unmittelbaren Nachkriegszeit ähnelte sehr dem Leben in den einstigen kleinen polnischen und russischen Gemeinden. So könnte ich auch nicht sagen, ob wir fließendes Wasser hatten, doch die Klosetts befanden sich in einer Hütte am Ende eines halb von Brombeersträuchern überwucherten kleinen Hofes, und wenn das auch im Sommer nicht weiter problematisch war, so wünsche ich doch niemandem, im Winter geduldig über einem Loch ausharren zu müssen ...

Eines Nachts in jenem Winter – es war grimmig kalt – schliefen mein Vormund und ich im selben Bett, um Decken zu sparen. In Prag hatte ich stets allein in meinem Zimmer geschlafen; auch in Rochlitz. Ich habe schon erzählt, wie ich mich angsterfüllt erhob, um nachzusehen, ob mein Vater noch da war, dort im Salon bei der großen Lampe, doch habe ich das Kissen nicht erwähnt, das damals mein treuester und intimster Gefährte war. Die Gegenwart dieses Kissens machte mir das Alleinsein erträglich. An meinem vierten Geburtstag trat mein Vater ins Zimmer und sagte: »Du bist jetzt groß und brauchst dieses Kissen nicht mehr.« Ich versuchte, meine Rechte zu verteidigen; vergebens. Das Kissen wurde beschlagnahmt.

Da bin ich also über den Umweg dieser Bilder auf zwei Kategorien von Menschen zu sprechen gekommen, die fast nichts miteinander gemein haben: einmal jene, die sich aneinanderschmiegen, die die menschliche Wärme lieben, und jene anderen, die jeden Kontakt vermeiden, Distanz halten, jede Vermischung, jede übertriebene Gefühlsregung, jede überschwengliche Begeisterung ablehnen. Läßt man gelten, daß dies zwei verschiedene Lebenseinstellungen sind, zwei über die kleinen alltäglichen Probleme hinausgehende Verhaltensweisen, so ist es klar – ich sagte dies schon –, daß es die ersteren waren, die unser Land aufgebaut haben, die Enthusiasten, jene, die menschliche Nähe in Begeisterung versetzt; voll Leidenschaft, aber auch blindlings drängen sie vorwärts, denn etwas Unwiderstehliches treibt sie stets demselben Zentrum zu: das Leben und die Vorstellung der Gruppe. Die Umwelt ist nur dazu da, um ihr eigenes Bild der Dinge widerzuspiegeln, die Umwelt existiert nicht ...

12. November 1977

An manchen Abenden verschwindet die Stadt plötzlich unter einer dichten Nebel- oder Wolkenschicht. Im gelbroten Lichtschein der Straßenlaterne hasten Nebelfetzen dicht gedrängt vorüber, als triebe irgendeine große Neuigkeit sie zu einem unsichtbaren Versammlungsort sehr weit im Osten. Günstiger Moment für Rätselhaftes und für Träumereien. Doch Jerusalem, Stadt der Geschichte und der Ewigkeit, ist keine Stadt der Sagen. Es gibt hier keinen

Golem, der durch düstere Gäßchen eilt. Man könnte meinen, daß Sagen am Ursprungsort aller Legenden nicht gedeihen können oder daß alles hier in dieser Stadt dem Wesentlichen zustreben muß.

So schnell wie möglich sollte ich eine makellose jüdische Identität zurückerhalten. Ich war mit diesen Bemühungen einverstanden, solange sie sich mit meinem »Gewissen« vereinbaren ließen. So ging ich am Kippur-Tag zum Gebet, doch erinnere ich mich weniger an die Töne des Kol Nidre-Gebets als an einen regnerischen Abend, an den kleinen Saal, in dem wir uns zusammendrängten, und an den Geruch nach feuchtem Wollzeug, kurz, ein Jom Kippur ohne Bedeutung. Doch wie könnte ich jemals das Ostermahl – den traditionellen Seder – im folgenden Frühjahr vergessen?

Die ganze Familie war gerade nach Paris in ihre Wohnung nahe Saint-Paul zurückgekehrt. Es war abgemacht, daß ich das Fest bei ihnen verbringen sollte. Am vereinbarten Tag fuhr ich los. Der Nachtzug, die Gare d'Austerlitz, die Métro-Station Saint-Paul; das war Paris.

Wir waren mindestens fünfzehn; wir und was von den Freunden noch übriggeblieben war. Der Tisch, der nach beiden Seiten ausgezogen war, nahm die ganze Länge des Salons ein. Die Zahl der Gäste, die glänzenden Bestecke, die Kerzen, alles trug zu der festlichen Atmosphäre bei.

Die Haggadah wurde gelesen, man legte die traditionellen Bibelverse aus, stellte Vergleiche mit der Gegenwart an, viermal wurden die Gläser erhoben, wie es das Ritual erforderte; kurz, man feierte den Auszug aus Ägypten ...

Zwei Jahre später sollte ich in der Schule von Ben Shemen an meinem ersten Seder in Israel teilnehmen. Dort hatte das Fest seinen traditionellen Charakter verloren; an die Stelle der Haggadah waren moderne Texte getreten, an die Stelle der Gebete Lieder unserer Zeit. Doch es war der gleiche Anlaß, das gleiche tiefe Gefühl, die gleichen Symbole: Man feierte die Befreiung aus der Sklaverei, das Ende eines finsteren Zeitalters, den Anbruch einer neuen Zeit. Doch ich gestehe, nur die traditionelle Feier, so wie ich sie zum ersten Mal bei meinem Vormund – und danach noch viele Male – erlebte, scheint mir bedeutsam zu sein: Es sind die überlieferten, durch Jahrhunderte hindurch wiederholten Worte, die dem allgemeinen Symbol seine besondere Kraft verleihen, die die Verwurzelung in der Gruppe, die Verwurzelung in der Geschichte und in der Zeit zum Ausdruck bringen. Es sind die überlieferten Worte, die – da sie niemals völlig eindeutig sind, stets der Exegese und Erklärung offenstehen – die Türen zum Imaginären öffnen und es auch dem Einfachsten unter den Teilnehmern ermöglichen, auf seine Weise die Erzählung und den Sinn der Befreiung zu begreifen, da er weiß, daß ihm diese traditionellen Worte Anker und Grund in der Gemeinschaft sind.

Nichts von alledem war mir damals klar, als ich bei diesem ersten Seder am Tisch Platz nahm; ich begriff nicht, daß gewissermaßen auch ich eine Freiheit wiedergefunden hatte. Daher jener Zwischenfall, über den man heute lächeln wird, der jedoch damals Bestürzung hervorrief. Das Essen begann also: Als die Suppe aufgetragen wurde, aß ich wortlos; doch bei den Hauptgerichten, vor allem beim Fleisch, entschuldigte ich mich. Erstaunen: »Du bist doch nicht krank?« »Nein, es geht mir ausgezeichnet.« »Ja aber, dann iß doch!« Ich weigerte mich. Schließlich mußte ich erklären: »Also, heute kann ich kein Fleisch essen; heute ist Karfreitag . . .«

Bei diesem ersten Aufenthalt in Paris nach dem Krieg blieb mir gerade Zeit genug, mich am Lycée Henri-IV einzuschreiben. Ich war stolz bei dem Gedanken, daß ich zu Beginn des neuen Schuljahres Schüler einer so angesehenen Schule sein würde, aber auch leicht beunruhigt. Voll Ungeduld und Angst erwartete ich den Monat Oktober.

Eines Nachmittags fand ich mich, ohne es eigentlich beabsichtigt zu haben, in der Rue Montholon wieder, in der Nähe des Hotels, in dem meine Eltern gleich nach unserer Ankunft in Paris mit mir abgestiegen waren. Ich brachte es nicht fertig hineinzugehen. Eine Zeitlang strich ich in der Umgebung umher, schließlich ging ich wieder in Richtung der großen Boulevards, bog in den Boulevard des Italiens ein und fand unsere Milchbar; dieses Mal zögerte ich nicht. Ich bestellte unseren Lieblings-Shake, eine Erdbeermilch. Damals hatte ich nicht ohne die Hilfe meiner Mutter auf den Hocker klettern können, und wenn ich dann dort oben hockte, fühlte ich mich nie ganz sicher. Nun reichte mir der Hocker gerade bis zur Taille. Mit der gleichen lässig-eleganten Geste wie damals goß der Mann hinter der Theke das schaumige Getränk in ein hohes Glas. Wird er mir einen Strohhalm geben? Ich ziehe daran. Genau der gleiche zuckrige Geschmack, und wie damals zerplatzen schillernde Blasen am Rand des Glases. An den Wänden sind noch dieselben Spiegel, auch die mit Kunstleder bezogenen Bänke sind noch da. Und doch, wenn dieser Milk-Shake auch Erinnerungen weckt, so ruft er doch nicht das zurück, was ich suche ... Nein, das, was ich suche, wirklich nicht ... Und so sitze ich verwirrt vor dem kühlen Getränk, das bei dieser ersten frühlingshaften Hitze so angenehm erfrischt, und um mich herum fließt sanft das staubige Licht eines schönen Apriltages.

Zu jener Zeit mußte ich öfters nach Bourges fahren. Mein Vormund kannte dort einen jüdischen Schneider, der bereit war, gegen ein geringes Entgelt die Kleider meines Vaters für mich zu ändern. Wenn ich mich heute noch so gut an diese kurzen Ausflüge erinnere, dann nicht wegen meiner Besuche in der Kathedrale, sondern wegen jener Stunden, die ich bei dem Schneider verbrachte.

Er hatte eine kleine Wohnung im Erdgeschoß eines alten Hauses in der Nähe des Parks; die Fenster des Wohnzimmers, das gleichzeitig auch als Werkstatt diente, gingen auf einen großen, fast immer leeren Platz. Der Schneider lebte hier mit seiner Tochter, einem einfachen, sanften, stillen Mädchen meines Alters. Nach den erforderlichen Anproben ließ ich mich in einer Ecke nieder, die Schneiderstochter setzte sich mit einem Buch auf den Knien ans Fenster, der Vater, der über seine Arbeit gebeugt dasaß, sagte hin und wieder ein paar einsilbige Worte in stets gleichem Tonfall. Ich liebte die Ruhe, die Monotonie dieser Augenblicke. Durch die Fensterscheiben, die seit langem niemand mehr geputzt hatte, sah ich auf den Platz hinaus, betrachtete manchmal verstohlen das junge Mädchen, das mir ebenso heimlich kurze Blicke zuwarf, und ließ mich sanft vom Rhythmus der stets gedämpften Geräusche einlullen, der Stimme des Schneiders, dem Geratter der Nähmaschine, dem fast nicht wahrnehmbaren Knirschen der Schere, wenn diese den Soff zerschnitt, dem zuweilen absetzenden Gebrumm einer Fliege.

Eine sehr alte Erinnerung, vielleicht die erste aller meiner Erinnerungen überhaupt, kommt mir in den Sinn. Ich war wohl knapp drei Jahre alt und saß in unserer Küche in Rochlitz. Meine Mutter war nicht da; auch Vlasta nicht, aber meine Großmutter Cécile (Cilia, wie wir sie nannten) machte sich eifrig am Herd zu schaffen. Ich hörte sie sprechen, vernahm das klappernde Geräusch eines Holzlöffels, mit dem sie wiederholt in einer Pfanne herumrührte, und im Hintergrund von Zeit zu Zeit das Gesumm der Fliegen, die um den riesigen Tisch kreisten; ab und zu verkündete kurzes Schweigen, daß wieder eine an dem gelben Fliegenfänger klebengeblieben war, der an einem der Deckenbalken hing und schon mit unzähligen schwarzen Punkten übersät war.

Bei meinem Vormund waren die Ereignisse der jüngsten Vergangenheit ein häufiges Gesprächsthema. So hatten in der Nähe unserer kleinen Stadt Milizsoldaten – oder waren es Deutsche? – ungefähr dreißig Juden in einen Brunnen geworfen und sie dann unter einem Steinhaufen zermalmt. Mehr als alles andere beeindruckten mich natürlich jene Berichte, die sich mit den Lagern befaßten. Die Namen von Belzec und Majdanek erschütterten mich ganz besonders. Ich wollte schreiben.

An einem Samstagabend nach dem Abendessen waren alle außer mir ins Kino gegangen. Ich betrachtete das Wachstuch auf dem Eßtisch, das noch voller Brotkrümel und Fettflecken war, dann fixierte ich die Schimmelstellen auf der Tapete. Ich versuchte gewissermaßen, mich selbst zu hypnotisieren, mich auf eine andere Ebene zu versetzen, in der Hoffnung, daß dann die ersten Worte eines Gedichtes aus mir hervorsprudeln würden. Doch nichts geschah. Und obwohl ich mir die verschiedensten Dinge in Erinnerung rief, blieben die Flecken Flecken und Belzec und Majdanek verschwanden in einem fernen Nebel. Erst sehr viel später, als ich an diese Bemühungen zurückdachte, begriff ich, daß es hier gar nicht um mein literarisches Talent ging, sondern um die Unfähigkeit, mich mit bestimmten Dingen zu identifizieren. Der Schleier zwischen mir und den Ereignissen zerriß nicht. Ich hatte am Rande der Katastrophe gelebt; eine vielleicht unüberwindliche Distanz trennt mich von jenen, die unmittelbar vom Strudel der Ereignisse mitgerissen worden waren, und ich selbst sah mich – all meinen Bemühungen zum Trotz – nicht so sehr als Opfer denn vielmehr als Zuschauer. So sollte ich zwischen mehreren Welten umherirren, die ich vielleicht besser als viele andere kannte und verstand, ohne jedoch in der Lage zu sein, mich rückhaltlos mit einer dieser Welten zu identifizieren, spontan zu fassen, zu begreifen und mich dazugehörig zu fühlen. Daher fällt es mir so ungeheuer schwer, dieses Buch zu schreiben.

18. November 1977

Vor zehn Tagen noch schien die Nachricht nur eine jener attraktiven, doch leeren Formeln zu sein, die den grauen Alltag verschönen: Präsident Sadat erklärte sich bereit, nach Jerusalem zu kommen; letzten Dienstag fing man langsam an, daran zu glauben; gestern dann Gewißheit, Begeisterung, klarer Tatbestand: Der ägyptische Präsident würde in zwei Tagen, am Samstagabend, in Israel eintreffen. Nicht nur im Vorderen Orient, nicht nur im Konflikt zwischen der arabischen Welt und uns wandelte sich etwas, unsere Geschichte selbst nahm einen anderen Verlauf.

Seit zwölf Jahren stelle ich instinktiv und ohne es zu wollen Berechnungen an. Als Eli sechs Jahre alt war, sagte ich mir: »Nun ist er so alt wie ich damals, als ich Prag verließ, als ich nach Montmorency kam; sein Leben ist noch in Ordnung.« Als er zehn Jahre alt war, mußte ich unwillkürlich daran denken, daß ich mit zehn Jahren ... Dieselben Überlegungen habe ich bei David, dann bei der kleinen Michal angestellt; Michal ist jetzt sieben Jahre alt, und alles geht gut ... Doch Eli nähert sich dem achtzehnten Lebensjahr, und in einigen Monaten kommt der Militärdienst, die tägliche Angst, Nachrichten, die man immer wieder kommentiert, das unmerkliche Zittern beim Klingeln des Telefons ... All das wird nun vielleicht anders werden.

Immer wieder erstaunt es mich, wie schnell der Tag in die Nacht übergeht. Gerade fünf Uhr, und draußen ist es schon fast dunkel. Überall brennen die Lichter. Ich stelle mir vor, daß Hunderttausende von Menschen wie ich mit wachsender Ungeduld darauf warten, daß der Samstag vorübergeht.

Samstag, 19. November bis
Montag, 21. November 1977

Ein paar Tage lang haben hundert Meter von uns entfernt Seite an Seite die beiden Fahnen geflattert: die drei ägyptischen Farben und der blaue Davidstern auf weißem Grund. Die Schaulustigen haben sich zerstreut; ich, der letzte, bin noch da und schaue ... diesseits und jenseits der Kampflinien sind die Feinde unter diesen Fahnen in den Kampf marschiert; diesseits und jenseits der Linien sind Tausende von Männern für diese Fahnen gefallen. Heute nun hebt sie derselbe Wind, derselbe Windstoß empor ... Die Hügel in der Ferne scheinen sich deutlicher als gewöhnlich abzuzeichnen; trotz der Jahreszeit ist die Luft mild wie im Frühling; man spürt, wie sich in der ganzen Stadt eine freudige Atmosphäre ausbreitet, spürt die ersten Schauder einer bisher unbekannten Freude, einer neuen Freude ...

Mein Vormund war der erste, der mir von Erez Israel erzählte. Wenn ich in der Schule Ausgang hatte und den Tag bei ihm verbrachte, versetzte er mich oft in weite Ferne: in endlosen Diskussionen, und auf den Seiten der zionistischen Wochenzeitung *La Terre retrouvée* entdeckte ich »Erez«, wie es genannt wurde, »das Land«, so, wie es wirklich war ...

Eine meiner ersten Erinnerungen aus jener Zeit ist die ungeheure Erregung, die wir alle über die Ereignisse des »Schwarzen Samstags« empfanden, als die britischen Streitkräfte nach den Sabotageakten der Haganah an den Eisenbahnlinien fast alle politischen Führer der jüdischen Gemeinschaft verhafteten. Der englische Außenminister Ernest Bevin war uns seither ein Dorn im Auge und General Barker, Oberbefehlshaber der britischen Streitkräfte in Palästina erschien uns als eine Art Himmler, seitdem er gesagt hatte: »Man muß die Juden dort treffen, wo es ihnen weh tut, in ihrem Geldbeutel ...«

Eine englisch-amerikanische Kommission hatte empfohlen, in Palästina hunderttausend noch in europäischen Lagern lebende jüdische Flüchtlinge aufzunehmen, doch die britische Regierung lehnte das hartnäckig ab. Der Irgun, eine terroristische Gruppe unter Führung von Menachem Begin, sprengte das Hotel *King David* in Jerusalem in die Luft, und ungefähr hundert britische Beamte und Offiziere wurden unter den Trümmern begraben. Aufsehenerregende Terroraktionen und Vergeltungsmaßnahmen lösten einander ab. Währenddessen verließen Tausende von Juden die Lager in Deutschland und Österreich und strömten in die italienischen Hafenstädte. Von der Haganah gecharterte alte Kähne versuchten mit allen Mitteln heimlich die Küste Palästinas zu erreichen. Woche für Woche, Monat für Monat durchlebten wir alle Höhen und Tiefen dieses Kampfes: Die illegalen Schiffe kamen bis auf Sichtweite in die Nähe der Küste von Erez Israel. Von der Royal Navy abgefangen, versuchten sie durch passiven Widerstand die Ausschiffung der Passagiere zu erzwingen. Vergebens. Die meisten Flüchtlinge wurden zurückgewiesen und manchmal – wie im Fall der *Exodus* – in europäische Häfen, ja sogar bis nach Deutschland zurückgebracht. Statt der Flüchtlingslager in Europa gab es nun bald Flüchtlingslager auf Zypern. Die Türen Palästinas blieben verschlossen; eine ungeheuerliche Tragödie spielte sich vor unseren Augen ab.

Im Herbst 1946, vor dem Jom Kippur, forderte Präsident Truman noch einmal, hunderttausend Flüchtlingen den Zugang nach Palästina zu gestatten, und zum ersten Mal spielte er auf die Möglichkeit einer jüdischen Staatsgründung an. Ein jüdischer Staat ...

Roth und einige andere Nachbarn besuchten uns manchmal, und obwohl sie Jiddisch sprachen, verlor ich kein Wort der endlosen Diskussionen, in deren Verlauf die seltsamsten Hypothesen aufgestellt wurden. Man trank ein Glas Tee nach dem anderen und – was mich stets aufs neue erstaunt – statt die Zuckerstückchen in das Glas zu tun, behielt man sie im Mund. So war es Brauch in Plonsk und Brest-Litovsk.

Wie stellte ich mir Erez Israel vor? Sehr verschiedene Aspekte haben sich da wohl zu einer einzigen Vision vereinigt: Zunächst die zwei, drei Bilder, die ich von zu Hause übernommen hatte: Haifa und vor allem Tel Aviv mit seinem Karamelgeschmack (schneeweiße Häuser und ein strahlend blaues Meer auf den Postkarten, die meine Mutter schickte). Diese allerersten Bilder wurden überlagert von anderen, die durch die Erzählungen meines Vormunds in mir geweckt wurden: Apfelsinen und Pampelmusen kamen darin vor, blonde, stolze Helden, Kibbuzim, die ich mir als Musterbauernhöfe vorstellte, aber auch harmlos aussehende Waffenverstecke, von denen ganz gewiß überraschende Angriffe und schließlich die Befreiung kommen würden.

Mit diesen zumindest ein wenig naiven Vorstellungen schickte man mich im August 1946 in ein zionistisches Jugendlager an den Ufern des Lac de Chalain im Jura. Dort wurde ich geradewegs den Habonim (den Konstrukteuren), einer sozialistisch orientierten Gruppe, zugeteilt.

Hier in Chalain trat allmählich ein bisher kaum wahrnehmbarer innerer Riß offen zutage. Es geht hier ja eigentlich nicht darum, das Bild zu vereinfachen und exemplarisch einen Absteig oder Wiederaufstieg zu zeigen: Wer einmal abgestiegen ist, wird niemals wieder völlig emporsteigen.

Der Einfluß von Saint-Béranger war nicht spurlos an mir vorübergegangen, und wenigstens ein Jahr lang zwang mich dies, in manchem schon erwähnten »Gewissenskonflikt« auf der Hut zu sein. So ging ich zum Beispiel in Chalain wie auch in meiner Provinzstadt nur zweimal ins Kino: Ich sah *Die Schienenschlacht* und *Die letzte Chance;* im übrigen hieß es, geschickt allen Einladungen aus dem Weg zu gehen, denn wie hätte ich mich einem Kinosaal nähern können, wo zum Beispiel *La Petite Dame du Wagon-Lit* gegeben wurde, da mich doch immer noch »unkeusche Gedanken« und die »Fallen des Bösen« beunruhigten. Und als mein Zeltnachbar seine Mundharmonika hervorzog, mir ein Zeichen zum Mitsingen gab und begann, *An der schönen blauen Donau* zu spielen, hatte ich große Mühe, ungezwungen Heiserkeit vorzutäuschen, um so zu verbergen, daß ich von Strauß und seinen Walzern noch nie in meinem Leben etwas gehört hatte.

Doch das waren vorübergehende Unannehmlichkeiten. Wesentlich war der Rest. So wurden mehrmals wöchentlich nach dem Abendessen Lagerfeuer angezündet, und bis spät in die Nacht hinein erklangen über den regungslosen schwarzen Fluten des Sees Lieder wie *Chevenu Shalom Aleichem, Bei mir bist du schejn* oder auch *Colchiques dans les prés, c'est la fin de l'été* ...

Ich mochte *Colchiques dans les prés,* und doch – trotz allem, was ich in La Souterraine empfunden hatte, wenn ich dort jiddische oder hebräische Lieder hörte – fühlte ich mich nicht wohl dabei. Während im Schein der langsam verlöschenden Flammen die Gesichter meiner Kameraden durch diese vertraute Musik wie von innen heraus erleuchtet wurden, diese Musik ihres Zuhauses und ihrer Kindheit, die ganz von selbst zu den neuen Liedern von Erez Israel hinüberführte, sang ich mit den anderen und empfand dabei undeutlich, daß meinem innersten Wesen eine fremde Maske übergestülpt wurde. Was dieses innerste Wesen jedoch eigentlich ausmachte, hätte ich absolut nicht sagen können.

Zionist – und dies ist wohl ungewöhnlich – wurde ich nicht dadurch, daß etwa tief verborgene Gefühlsschichten in mir angerührt worden wären, sondern durch ein ganz einfaches Argument, das mir damals jedoch absolut zwingend erschien. An einem jener Abende ergriff Sigi, einer unserer Gruppenleiter, das Wort.

Er erklärte die Ereignisse der jüngsten Vergangenheit unter einem für mich ganz neuen Blickwinkel: der Passivität der Opfer. Warum diese Passivität? Nirgendwo waren wir zu Hause, nirgendwo fanden wir Hilfe. Doch das war nun ein für allemal vorbei: Nie wieder würden wir uns wie Schafe zum Schlachthaus führen lassen! Und deshalb brauchten wir einen Staat. Im Rahmen eines Staates würden wir unser Schicksal in die Hand nehmen können; nur im Rahmen eines Staates würden wir Gewalt mit Gewalt beantworten können ...

Colchiques dans les prés, c'est la fin de l'été.

Die Botschaft von Chalain hatte eine unmittelbare, unerwartete Wirkung. Zwei Wochen nach der Rückkehr aus den Ferien wurde ich Internatsschüler im Gymnasium unserer Stadt. Da ich nun wirklich nicht die geringste Ähnlichkeit mit den einheimischen Jungen hatte, wurde ich systematisch gepiesackt. Schon am zweiten Abend, kurz nachdem ich eingeschlafen war, brach das Bett unter mir zusammen, da man die Schrauben gelockert hatte. Ich hatte mich überrumpeln lassen. Ein zweites Mal sollte mir das nicht mehr passieren. Mußten wir nicht unsere Rolle als Opfer aufgeben, mußten wir nicht Gewalt mit Gewalt beantworten, selbst wenn der jüdische Staat bisher noch ein Traum war? Ohne zu zögern, identifizierte ich meine persönliche Lage mit der Gemeinschaft: Ich war bereit, unseren Feinden mit der Waffe in der Hand entgegenzutreten! Und so geschah es. Sobald der aufsichtführende Lehrer am nächsten Abend das Licht gelöscht hatte, nahm ich einen Stein, den ich schon vorher am Ende meines Gürtels befestigt hatte, und als sich der Feind meinem Bett näherte, schlug ich mit aller Kraft zu.

2

Als der Zug die Gare de Lyon verließ, glaubte ich endlich an die Wirklichkeit dessen, was da mit mir geschah. Die grauen Gebäude der Vororte huschten an uns vorbei, und im Abteil herrschte noch das übliche Durcheinander, wie stets zu Beginn einer langen Reise. Ein Gedanke hatte nun ganz von mir Besitz ergriffen: Schluß mit dem Gymnasium, Schluß mit dem Warten, Schluß mit den fernen Träumen. Ich brach auf, um in Erez Israel zu kämpfen; ich war fünfzehn Jahre alt.

Links und rechts der Gleise eilten jetzt flachere, von Gärten umgebene Häuserreihen vorüber. An den Straßenrändern gingen die Lampen an. Die Nacht brach herein; der Zug fuhr schneller. So teilten die großen Bahnreisen mein kurzes Leben in verschiedene, schroff voneinander getrennte Abschnitte: die Reise von Prag nach Paris, die Reise von Paris nach Néris, dann von Montluçon nach Saint-Etienne, später die Rückkehr aus meiner Provinzstadt nach Paris. Und nun war ich auf dem Weg nach Marseille, wo das größte Abenteuer beginnen würde. Wie viele andere fühlte auch ich mich hingezogen zu Bahnhöfen, zu den ins Unendliche dahingleitenden Schienen, zu den roten und grünen Signallichtern, zu all dem, was die Melancholie einer Abreise zum Ausdruck bringt, die mit Träumen vermischt ist, welche große Veränderungen in uns hervorrufen ...

Doch wer hätte knapp einige Monate vorher, als ich, aus der Provinz kommend, in Paris eintraf und als Internatsschüler in die Oberprima am Lycée Henri-IV eintrat, das vorausgesagt, was ich nun in diesem Moment erlebte? Der unmittelbare Weg schien damals vorgezeichnet: Ende des Jahres würde ich das Vorabitur ablegen, dann die Philosophieprüfung und das Hauptabitur. Sollte ich es bestehen – woran ich ernstlich nicht zweifelte – ergab sich das Weitere von selbst: das Vorbereitungsjahr und dann die Aufnahmeprüfung für die École Normale. Dies war, auf jeden Fall zu Beginn des Schuljahres 1947, mein höchstes Ziel. Da mein Vormund nur für das Allernotwendigste sorgte, würde ich »Mündel der Nation«, dann Franzose werden. Was konnte man in meiner Lage mehr wünschen?

Wochentags kam ich kaum aus den Mauern des Gymnasiums heraus, nur morgens kaufte ich schnell die Zeitung, und nachmittags ein Vesperbrot. Donnerstags und sonntags ging ich zu meinem Vormund, manchmal zu den Versammlungen der kommunistischen Jugendverbände des V. Arrondissements, zu der einen oder anderen großen politischen Kundgebung der damaligen Zeit und natürlich zu den Zusammenkünften, die von den Habonim organisiert wurden. Vom Katholizismus war bei mir fast nichts mehr zu spüren.

Nur sehr schwer könnte ich heute einen besonderen Grund für diesen inneren Wandel angeben, es sei denn die Zeitumstände, den Druck der Umgebung und die in der Jugend üblichen Erschütterungen. Kurz vor dem Ende der Ferien, die meiner Ankunft in Paris vorausgingen, hatte ich Pater L., diesmal in Lyon im Jesuitenheim Fourvières, wiedergesehen, doch diese zweite Begegnung hatte keine besondere Wirkung: Ich hatte mich bereits entfernt.

Wenn ich an diesen Wandel denke, so muß ich mir die Frage stellen: Was ist von dieser Erziehung in einer so ganz anderen Welt als jener, die die meine werden sollte, eigentlich geblieben? Nichts Wesentliches, das habe ich schon gesagt, wohl aber eine gewisse Schwierigkeit im Umgang mit den Menschen, eine Zugeknöpftheit, die mir die Rue de la Garde mit ihren Tabus wohl für immer eingeprägt hat.

Außerdem der Beginn einer Neigung – die auch noch andere Ursachen hat –, sich eher passiv als aktiv zu verhalten, moralische Bedenken zu haben, statt nüchtern die Wirklichkeit zu akzeptieren. Kurz, eine gewisse Schwierigkeit zu leben, die die Spontaneität hemmt, aber dazu ermutigt, sich immer wieder auf sich selbst zurückzuziehen, und eine ständige Unzufriedenheit; im übrigen ähnelt dies einer bestimmten jüdischen Haltung, nämlich der jener Juden, die – auf dem Wege der Assimilierung – zwischen zwei Welten gefangen sind: In diesem Milieu hatten wir gelebt. So läuft letzten Endes alles in einem Punkt zusammen.

Zum Kommunismus kam ich ganz von selbst oder doch fast – denn konnte man damals jung und nicht Kommunist sein? In meinen zionistischen Überzeugungen wurde ich dadurch noch gestärkt, denn 1947 forderten die Kommunisten die Gründung eines jüdischen Staates in Palästina. Einer gewissen Komik entbehrte es nicht, daß mein damaliger Mentor auf dem Gebiet des Kommunismus und Stütze im Zionismus niemand anders war als der Ägypter Samir Amin, ein Schlafsaal- und Studiengefährte, ein hervorragender Kopf, der eine blendende Karriere als neomarxistischer Wirtschaftstheoretiker vor sich hatte. So las ich *Das Elend der Philosophie* und diskutierte mit meinem älteren Freund aus dem mathematischen Zweig, der zumindest rein äußerlich direkt von Tutanchamun abzustammen schien, über die Ansichten des Zionisten Borochow. Samir begleitete mich freilich nicht zu den Zusammenkünften der Habonim, während ich – wie ich schon sagte – zu den Versammlungen der kommunistischen Jugendverbände des V. Arrondissements und vor allem zu den Kundgebungen ging. An letztere habe ich eine sehr unangenehme Erinnerung.

Ende des Jahres organisierte die CGT eine Reihe aufrührerischer Streiks, die sogar vor den Gymnasien nicht haltmachten: Die Verwaltungsangestellten streikten, so daß wir zum Essen in die Studentenrestaurants gehen mußten; die

Erzieher streikten und so weiter. Wir marschierten von der Place de la République zur Bastille, von der Place de la Nation was weiß ich wohin. Wie alle anderen lernte ich die *Internationale* und jubelte Maurice Thorez in einem der großen Pariser Stadien zu.

Eines Tages erhielt ich den Auftrag, die *Humanité* zu verkaufen. Doch schüchtern wie ich war, fühlte ich mich einfach außerstande »Kaufen Sie die Huma!« zu rufen, so daß ich auf einer Kundgebung von mindestens fünfzigtausend Menschen nur fünf, sechs Zeitungen verkaufte: Flüsternd drückte ich sie meinen Nachbarn in die Hand, als wäre es irgendein verbotenes Pamphlet oder ein Pornobild. Ich glaube, nach dieser Erfahrung entfernte ich mich allmählich vom Kommunismus. Blieb noch der Zionismus. Ich machte damals die große Sache meines Lebens daraus.

Der Zug raste nun durch flaches Land. Ich hätte meine Reisegefährten, die alle zwei oder drei Jahre älter waren als ich, kennen sollen; doch in Wirklichkeit sah ich ihre Gesichter, hörte ich ihre Namen zum ersten Mal. Diese Gesichter und Namen sind heute aus meinem Gedächtnis entschwunden, nur Ruth, meine linke Nachbarin, habe ich noch in zärtlicher Erinnerung.

Ich könnte heute nicht mehr sagen, was mir damals alles durch den Kopf ging, doch erinnere ich mich noch deutlich daran, daß mich während der ersten Hälfte der Reise, nachdem wir uns endlich häuslich eingerichtet hatten, nicht etwa die noch in weiter Ferne liegende Aussicht auf die Ankunft in »Erez« mit erwartungsvoller Freude erfüllte, sondern vielmehr die Gewißheit, in wenigen Stunden das Meer zu erblicken.

5. Dezember 1977

Auf unseren Bildschirmen erstaunliche Bilder aus Kairo: »Ich bin vom israelischen Fernsehen . . .« So stellt sich unser Korrespondent den Leuten auf den Straßen der ägyptischen Hauptstadt vor: Er wird herzlich, ja manchmal sogar begeistert empfangen. Doch können wir wirklich an den Frieden glauben? Können wir unsere Zukunft im Licht des Friedens sehen? Seit Anbeginn seiner Geschichte hat sich dieses Volk stets allein und von Feinden umgeben gesehen, nur auf Gott und später auf sein Schicksal bauend. Seit Jahrhunderten scheint alles direkt in Unglück und Katastrophe zu führen, ohne daß jedoch das Vertrauen in eine letzte Befreiung geschwunden wäre. An diese Sicht der Welt und der Zukunft ist unsere Identität gebunden. Ist es möglich, daß dieses fast atavistische Verhalten von einem Tag zum anderen verschwindet? Ich höre mir die Kommentare der Leute um mich herum an: Für viele scheint der Frieden zur Gewißheit geworden zu sein; die Last der Vergangenheit hat sich plötzlich in etwas Unerwartetes, seltsam Leichtes verwandelt.

Gestern habe ich H. getroffen. Im Jom-Kippur-Krieg hat er einen Sohn verloren. Ich ahne, was er denkt: Warum erst jetzt und nicht schon vor vier Jahren? Doch seine Worte lassen keine Bitterkeit erkennen. Die gleiche Hoffnung scheint ihn zu erfüllen wie uns alle. Manchmal zögert er unmerklich beim Sprechen, und von Zeit zu Zeit verschleiern sich seine Augen, als würden sie nicht mehr sehen, als wäre der Blick nach innen, auf einen unsichtbaren Punkt gerichtet. Was bedeutet der Frieden für ihn?

Ab Herbst 1947 wurde der Zionismus, wie gesagt, mein wichtigstes Anliegen. Das hinderte mich jedoch keineswegs daran, wie jeder andere normale Pennäler zu leben – fast wie jeder normale Pennäler . . .

So hatte ich seit meiner Ankunft in Paris fast nie Geld in der Tasche; selbst das Haareschneiden wurde zum Problem. Das brachte mich allerdings keineswegs in Verlegenheit. Einmal betrat ich ohne einen Pfennig Geld einen Friseursalon am Boulevard Saint-Michel, nur wenige Schritte vom Lycée Saint-Louis entfernt; kaltblütig ließ ich mir trotzdem die Haare schneiden – komme was da wolle. Als ich mich vom Stuhl erhob, bemerkte ich, daß eine Wand frisch gestrichen war, ohne daß ein Warnschild »Vorsicht frisch gestrichen« darauf hingewiesen hätte. Das war die Lösung: ein Farbfleck auf meiner Jacke, wütender Protest meinerseits, Erklärungen, Entschuldigungen und der unumgängliche Kompromiß: Ich zahlte nichts, und der Friseur brauchte meine Jacke nicht zu reinigen. Wir waren quitt.

Das Essen in den Pariser Internaten in diesen Nachkriegsjahren war nicht gerade üppig, ganz im Gegenteil. Meine Schulkameraden vervollständigten diese Kost durch ihre eigenen Vorräte; ich hatte fast immer einen leeren Magen. Sonntags aß ich manchmal bei meinem Vormund; manchmal ging ich auch einfach in ein Café, bestellte einen Croissant und eine heiße Milch, schlang alles hinunter und machte mich dann eilends aus dem Staub.

In Wahrheit habe ich oft Hunger gehabt. Nicht in Prag natürlich. In meiner Erinnerung war in diesen ersten Jahren alles im Überfluß vorhanden. Jeder kennt unsere Nationalgerichte, die verschiedenen »Knedliki«, die seit Generationen schon die tschechische und auch die Wiener Küche berühmt gemacht haben, doch kennt man auch die sogenannten »Indianer« der Altstadt-Konditoreien? Schokoladenkugeln, in der Mitte halbiert und mit Schlagsahne gefüllt ... Und bei uns zu Hause verging wohl keine Woche, ohne daß es eine Gans oder eine gebratene Pute gegeben hätte, außen mit Speck gespickt und innen mit irgendeiner cremigen Füllung gestopft, kurz, das Paradies ... Ja, sogar nach unserem mißglückten Versuch, das Land im Auto zu verlassen, versammelten wir uns seltsamerweise noch einmal zu einem derartigen Essen: Die traditionelle Gans stand dampfend auf dem Tisch, als wäre überhaupt nichts geschehen. Heute kann ich diese Festessen nur schwer verstehen, wahrscheinlich weil in der Rückschau manches verzerrt erscheint.

Später dann verschwanden diese köstlichen Gerichte. Ich habe schon erwähnt, wie ich anfangs auf die Küche in Saint-Béranger reagierte. Ich gewöhnte mich daran. In den Pausen erhielten wir Vitamintabletten, ein Beitrag des Roten Kreuzes für die Gesundheit der Kinder in Frankreich. Manchmal gingen wir bis zum Gemüsegarten der Sodalität am anderen Ende der Stadt, um dort zu arbeiten, oder auch um an Prozessionen teilzunehmen. Ich erinnere mich noch an eine dieser frommen Übungen, die Pflaumenbäume hingen gerade voller Früchte. Den Blick auf die Statue der Jungfrau gerichtet wie alle anderen, schritt ich langsam vorwärts, aber mein Fleisch war schwach, der Heilige Antonius in mir noch jung, doch keine unzüchtigen Versucherinnen sah ich vor mir auftauchen, sondern blau-violette, pralle Pflaumen, die sicher herrlich saftig waren. Ich habe dann Reue zu zeigen gewußt.

Nach dem Krieg erhielt ich ein Paket aus Amerika. Mein Vater hatte zwei treue Freunde gehabt, die rechtzeitig den Ozean überquert hatten und sich seitdem um unser Schicksal nicht mehr gekümmert hatten. Einer von ihnen schickte mir nun dieses Paket. Das war ein Fest. In jenem Sommer waren nur drei oder vier von uns in der Schule zurückgeblieben. In dem kleinen Hof nahe der Pforte – von hier aus war ich damals ins Krankenhaus geflohen – wurde ein Tisch aufgestellt und das kostbare Paket in die Mitte gesetzt. Ich sehe noch, wie wir alles, was Madame Robert Stück für Stück herausnahm, betasteten, abschätzend und bewundernd in der Hand hielten, als wären es Wunderdinge aus dem Hut eines Zauberers. Nach einiger Zeit konnte ich mich nicht mehr länger beherrschen: Vor mir lag ein glänzender Würfel, der mich vage an die Karamelbonbons von früher erinnerte: ein Griff, ein Biß: Es war ein Bouillonwürfel . . .

Ich glaube, wir waren sehr stolz darauf, Schüler dieses angesehenen Gymnasiums zu sein, und wir bewunderten die Schönheit des rechteckigen Gebäudekomplexes, hinter dem die Tour Saint-Jacques emporragte, und der mit seinen klassisch-reinen Linien die berühmte Place du Panthéon abschloß. Wir schwärmten auch für bestimmte Dinge. So begleitete ich donnerstags und sonntags Philippe A. manchmal in eine »Diskothek« an der Ecke Boulevard Saint-Michel – Rue Soufflot – keine Diskothek, in der man tanzte, sondern eine dieser Diskotheken mit Münzgrammophonen und Kopfhörern, wo man Platten hören konnte; wenn ich ein paar Sous übrig hatte, wählte ich feierlich stets dieselben Nummern aus, klemmte mir die Kopfhörer über die Ohren und wartete verzückt auf die ersten Akkorde der *Tannhäuser*-Ouvertüre oder des *Walkürenritts.* Abends im Schlafsaal pfiff einer von uns das *Glissando* der Geigen des Venusbergs, während der andere die majestätischen Akkorde des *Pilgermarsches* skandierte.

. . . Hinter Dijon wurde das Licht ausgeschaltet. Am nächsten Morgen mußten wir sehr früh wach sein, und es war besser, ein paar Stunden zu schlafen. Bald schwankten unsere Köpfe hin und her, und neben den dumpfen Kolbenschlägen und dem gleichmäßigen Keuchen der Lokomotive hörte man leises Schnarchen.

War Ruth sofort eingeschlafen? Ich habe keine Ahnung, doch ich dagegen konnte lange nicht schlafen. Ihr Kopf sank sanft in meine Richtung und meiner näherte sich ganz langsam dem ihren. Bald berührten ihre Haare meine

Wange. Ich wagte nicht, mich zu rühren, irgendeine Bewegung zu machen. Seit langem war ich nicht so glücklich gewesen, und endlich schlief ich dann ein, Wange an Wange mit ihr, ganz durchdrungen von der Wärme einer Freundin, einer Schwester, einer Mutter ...

10. Dezember 1977

Durch die Friedensbemühungen werden die verborgenen Widersprüche unserer Gesellschaft offen zum Ausbruch kommen: Zwar wird eine Regelung gewünscht, doch hat man auch Gebietsansprüche; zwar ist man bereit zum Kompromiß, doch glaubt man auch daran, auf das Land Erez Israel ein besonderes, unumstößliches Anrecht zu haben; zwar wünscht man eine Normalisierung, doch möglicherweise ist man unfähig, die Normalität anzuerkennen.

Ich glaube, ich habe diese Schwierigkeiten bemerkt, sobald ich 1967 nach Israel zurückkehrte. Es dauerte jedoch lange, bis ich erkannte, daß eine lebendige Gemeinschaft oft Wege einschlägt, die sich unmöglich vorhersehen und im voraus festlegen lassen, daß Dilemmas und Widersprüche zu diesem Weg gehören, daß die Rolle jedes einzelnen bestenfalls darin besteht, für bestimmte, ihm wichtig erscheinende Prinzipien einzutreten und so zu versuchen, Dämme und Schutzzäune an den Ufern der Geschichte zu errichten.

Ich begriff nach und nach, daß hier der Blick nicht an der Oberfläche der Dinge verweilen konnte, daß die alltäglichen Probleme oft weit von jenem tiefen Rhythmus entfernt waren, der unser Leben bestimmt. Ich erkannte, wie gefährlich dieser doppelte Blick ist: Irrtümer, ja sogar Verirrungen lassen sich so im Namen einer latenten Bedeutung bagatellisieren: Man wiederholt leicht dieselben Irrtümer unter Berufung auf verborgene Gesetze. Vielleicht muß man den alltäglichen Herausforderungen gegenüber so handeln, als hätten allein sie einen Sinn, doch gleichzeitig auch die andere Dimension der Dinge leben, als wäre das Alltägliche ganz ohne Bedeutung ...

Nach und nach spiegelten die Orte in ihrem Äußeren selbst für mich diese konstante Dualität wider. Kommt man von der Ebene her nach Jerusalem, wird man zunächst von baufälligen Vorstadtvierteln empfangen: Auf der einen Seite ragen lange Reihen von Betongebäuden auf den Hügeln empor; auf der anderen Seite, einige hundert Meter weiter weg, führen übelriechende Gäßchen zum größten Markt des Judenviertels. Und sobald man die Mauern zur Altstadt überschritten hat, droht von allen Fassaden herab die aggressiv-schreiende Reklame für Coca-Cola, Kent oder Assis. Reklame und Dreck. Die Via Dolorosa ist nichts als eine levantinische Geschäftsstraße, und die großen schwarzen Holzkreuze, die in der Weihnachtszeit oder in der Karwoche von Pilgerscharen dahergeschleppt werden, verschwinden fast im bunten Strom der Touristen. Überall regiert offensichtlich Schund und Ramsch, überall scheint der Handel mit dem Heiligen das Heilige seiner eigentlichen Substanz entleert zu haben. Das ist der erste Eindruck.

Doch existiert auch noch ein anderes Jerusalem; dort scheinen Steine, Hügel, Licht und Wind irgend etwas nicht Faßbares auszustrahlen. Dort haben die Dinge eine »Seinsweise«, die alle gewöhnlichen Ereignisse in ein Schattenspiel auf dem unbeweglichen Hintergrund der Ewigkeit verwandelt.

Eine Seinsweise der Dinge und manchmal auch der Menschen. So zum Beispiel die Kinder des alten Judenviertels ... Auf den kleinen sonnenbeschienenen Plätzen zwischen den Synagogen und den wiedereröffneten Rabbinerschulen schlendern sie grüppchenweise umher, in endlose Diskussionen vertieft, in denen es sicherlich nicht nur um die Aussprüche des Jeschiwah, sondern auch um das Murmeltauschen mit seinen komplizierten Regeln geht. Manchmal stürzen sie sich in für mich unverständliche, geheime Spiele. Ihre doch eigentlich natürliche Gegenwart kommt mir in diesem Rahmen stets unpassend vor. Unpassend, aber beruhigend. Denn gegenüber der Vergangenheit, der unbeugsamen Tradition, einer jahrhundertealten, plötzlich hierher verpflanzten Routine verkörpern sie zwar Anerkennung und Kontinuität, aber auch eine nicht aufzuhaltende Kraft, die Kraft des Augenblicks, die Kraft des Lebens.

Andere Begegnungen kommen mir in den Sinn. Wenn man die Altstadt durch das Armenierviertel verläßt und die Straße an der Stadtmauer entlanggeht, dort, wo die Blindbögen große Schattenflecken auf die glühend heiße Straße werfen, kann man sehen, wie in lange schwarze Gewänder gekleidete Mönche, den Kopf mit spitzen, leicht furchterregenden Kapuzen verhüllt, in tiefstem Schweigen an den Mauern entlanggehen. Versuchen Sie, ihren Blick einzufangen: Sie werden darin das unbewegliche Antlitz der Zeit entdecken.

Und angesichts dieses Gewichts der Jahrtausende, in das sich unaufhörlich der vertraute Rhythmus des Alltäglichen mischt, mußte ich unwillkürlich daran denken, daß an diesem Ort vielleicht auch der Tod natürlicher wird, daß er sich dem allmählichen Übereinanderschichten der Dinge, der bläulichen Luft, dem alles durchdringenden, vielfältigen Duft der Gewürze vom Souk anpaßt; notwendiger und fast nicht erkennbarer Bruch: ein Blatt, das niedersinkt, eine Tür, die sich schließt, ein Schritt, der sich entfernt . . .

So sehe ich heute das andere Gesicht Jerusalems.

Ende November 1947 beschloß die UN-Vollversammlung die Teilung Palästinas in einen jüdischen und einen arabischen Staat. In Jerusalem und in Tel Aviv wurde in den Straßen getanzt, bei den Habonim hörten an diesem Sonntag die *Horas* erst am frühen Morgen auf. Einige Tage später begannen die Kämpfe ernstlich. Im Frühling wurde die Spannung unerträglich. In meinem fernen Gymnasium spürte ich den Atem der Geschichte.

»Ein Volk kann seinen Staat nicht auf einem Silbertablett serviert bekommen.« Dieser Satz von Chaim Weizmann inspirierte den Dichter Altermann zu einem der berühmtesten Gedichte jener Zeit. Heute mag uns diese dichterische Sprache übertrieben und ein wenig rührselig erscheinen, doch was in jenen Monaten, von denen hier die Rede ist, geschah, wurde von allen so empfunden und erlebt. In diesem Gedicht spricht Altermann von einem Jungen und einem Mädchen, wie sie in jenen entscheidenden Tagen zu Hunderten fielen:

»Da fragt die Nation in Tränen und Aufregung: Wer seid ihr? Und die beiden antworten sanft: Wir sind das Silbertablett, auf dem euch der Staat der Juden dargeboten wird. Sie sagten es und fielen zu ihren Füßen nieder, in Schatten gehüllt. Und der Rest wird in den Annalen Israels erzählt werden.«

Wie an etwas anderes denken, wie ein anderes Abenteuer leben?

Von nun an gab ich mein ganzes Taschengeld für Zeitungen aus, verglich sämtliche Nachrichten, las alle Kommentare und war so imstande, Tag für Tag das Kampfgeschehen zu verfolgen. Zunächst noch undeutlich, dann aber im Laufe der Wochen mit wachsender Überzeugung fühlte ich, daß mein Platz nicht länger im »H-IV« war. Was tun?

. . . Als wir aufwachten, war es schon Tag, und Olivenbäume tauchten links und rechts der Bahngleise auf. Bald erblickte ich die Rhône und die majestätische Silhouette des Papstpalastes. Noch zwei Stunden, und wir würden in Marseille sein. Und hier spielt mir mein Gedächtnis wieder einmal einen merkwürdigen Streich. Ich erinnere mich an Einzelheiten, doch das Wesentliche ist mir entfallen: Wann sah ich zum ersten Mal das Meer? Was ich mit soviel Ungeduld erwartet hatte, war Wirklichkeit geworden, doch nichts von dieser ersten Begegnung ist mir in Erinnerung geblieben. Oder ist dieser völlige Erinnerungsverlust Ausdruck der Enttäuschung . . .?

Ankunft auf dem Bahnhof Saint-Charles, hektisches Getümmel: Busse erwarteten uns. Wir fuhren durch die Stadt und waren wieder auf der Landstraße. Dieses Mal nur für kurze Zeit. Dann eine lange Allee, ein Tor, endlose Zeltreihen, eine blau-weiße Fahne: unser Lager. Grüppchen von Neugierigen standen zu unserem Empfang bereit: unsere zukünftigen Reisegefährten.

Ich hatte meinen Entschluß Anfang April gefaßt.

Die Habonim lehnten es ab, meiner Abreise zuzustimmen: Ich war zu jung! Ich fälschte mein Geburtsdatum mit Hilfe einiger Tropfen Korrekturflüssigkeit, machte mich zwei Jahre älter und schrieb mich bei der Jugendorganisation Betar ein, die dem Irgun von Menachem Begin nahestand.

Eine heimliche Zusammenkunft folgt der anderen: »Was wollen wir?« »Die beiden Ufer des Jordan!« Meine Antworten machen einen guten Eindruck, ich werde als »Betari« akzeptiert. Wie in Erez Israel überstürzen sich auch in Paris die Ereignisse.

Das Oberkommando des Irgun für die Aktionen im Ausland hat seinen Sitz in der französischen Hauptstadt, und hier in dieser fast autonomen Gruppe werden die kühnsten und heikelsten Pläne geschmiedet. Die Pariser Gruppe, die jede Teilung Palästinas ablehnt, sinnt nur darauf, für die Eroberung des historischen Vaterlandes zu kämpfen und nimmt sogar in Kauf, dadurch in Opposition zu dem künftigen Staat zu geraten. Waffen, Soldaten, Schiffe sind erforderlich. Im Frühling ist ein erstes Schiff startbereit; die französische Regierung wird die Waffen liefern und gestatten, daß sich ungefähr tausend Menschen bei Marseille sammeln.

Am 14. Mai 1948 um vier nachmittags verkündet David Ben Gurion in der Aula des Museums von Tel Aviv die Gründung des Staates Israel. Am nächsten Morgen greifen die arabischen Truppen an. Koste es, was es wolle, das Schiff des Irgun muß abfahren.

Als ich am Donnerstag, dem 3. Juni, nach einem kurzen Besuch bei meinem Vormund ins Gymnasium zurückkehre, finde ich dort eine Botschaft vor: Treffpunkt morgen 18 Uhr in der Gare de Lyon, am Zug nach Marseille.

In zehn Tagen soll ich die schriftliche Abiturprüfung ablegen; ich zögere nicht einen Augenblick: Ich werde morgen 18 Uhr am vereinbarten Treffpunkt sein.

Die Hauptgründe für diese Entscheidung waren klar: Die Ereignisse in Israel, der Bewußtseinswandel, der sich gerade erst in meinem Inneren vollzogen hatte, die Begeisterung des Augenblicks. Doch vielleicht sollte man hier noch ergänzen und nuancieren. Denn wie könnte ich die langen, leeren Sonntagnachmittage vergessen, wenn keine Versammlung oder Kundgebung stattfand und alle meine Schulkameraden Verwandte oder alte Freunde aufsuchten. Ich blieb eine Weile bei meinem Vormund, dann lief ich ziellos durch die Straßen. Manchmal saß ich stundenlang auf einer Parkbank und wartete einfach. Damals kam mir allmählich deutlich zum Bewußtsein, was ich bisher nur passiv empfunden hatte: Ich war allein. Oft sagte man mir, ich sähe traurig aus. Ich war nicht wirklich traurig, doch manchmal verfiel ich in eine Art Melancholie, und je näher das Abitur rückte, desto öfter fragte ich mich, was aus mir werden sollte, trotz meiner klaren Zukunftspläne. Nach »Erez« zu gehen, hieß mein persönliches Schicksal an das Los einer Gemeinschaft zu binden, hieß von Gemeinsamkeit und Gemeinschaft zu träumen, hieß in der Begeisterung einer Gruppe persönliche Ängste zu verlieren. Zum Besten wie zum Schlechtesten wachsen so die Bewegungen, die zuweilen den Lauf der Geschichte ändern.

Mein Vormund erhielt eine Nachricht: An diesem Sonntag brauchte man nicht auf mich zu warten. In einem zweiten Brief, der erst nach meiner Abreise bei ihm eintreffen sollte, teilte ich ihm meinen Entschluß mit:

»Lieber Vormund, wenn Sie diesen Brief erhalten, werde ich schon fern von Paris sein – auf dem Weg nach Palästina. Sie werden vielleicht erstaunt sein, doch machen Sie sich bitte keine Sorgen: Ich bin bei einer Betarim-Gruppe und in völliger Sicherheit. Gehen Sie vor allem nicht zur Polizei, das würde Ihnen nur überflüssigen Ärger verursachen und wäre sinnlos, da ich, wenn Sie diesen Brief erhalten, schon auf dem Schiff sein werde. Machen Sie sich keine Gedanken darüber, was meine Onkel sagen werden, denn ehe Sie ihnen geschrieben haben, bin ich schon bei ihnen, und ich bin sicher, sie werden gar nicht so ungehalten sein ...

Nun zum Materiellen: Ich habe meinen Rucksack, meine ganze Wäsche sowie den grauen Anzug, den beigefarbenen Anzug und die Lederjacke mitgenommen. Ich habe vor meiner Abfahrt den gelben Koffer, die Aktentasche und die Schulbücher zu einem Kameraden gebracht, der Ihnen alles sobald wie möglich übergeben wird. Hier seine Adresse ... Ich bitte Sie außerdem, dem Gymnasium kurz mitzuteilen, daß ich die Schule verlasse und nicht zum Abitur erscheinen werde. Damit ist dann alles geregelt.

Im übrigen werde ich Ihnen gleich nach meiner Ankunft einen langen Brief schicken; ich hätte mich gern von Ihnen verabschiedet und Ihnen persönlich für alles gedankt, was Sie für mich getan haben, doch hatte ich Angst, daß man mich an meiner Abreise hindern könnte. Auf keinen Fall möchte ich, daß Sie an meiner Dankbarkeit zweifeln. Ich hoffe, Sie bald in Palästina wiederzusehen. Herzlichst Paul.

P.S. (sehr wichtig): Bitte zahlen Sie die Gebühren für das dritte Semester, denn sonst gibt man mir nicht die beiden Leintücher, zwei Hemden, zwei Unterhosen und zwei Paar Socken, die ich noch im Gymnasium habe.«

Schon am 5. Juni schrieb der Direktor an meinen Vormund:

»Sehr geehrter Herr, ich bedauere, Ihnen mitteilen zu müssen, daß der junge Friedländer, interner Schüler der Klasse 1A, dessen Vormund Sie sind, das Gymnasium gestern, am 4. Juni, bei Schulschluß um 16.30 Uhr zusammen mit den Externen heimlich verlassen hat.

Unsere Nachforschungen haben ergeben, daß er die Absicht hat, sich bei den jüdischen Kräften in Palästina zu melden.

Erlauben Sie mir, Sie gleichzeitig daran zu erinnern, daß die Gebühren für den Zeitraum April–Juni noch nicht entrichtet wurden. Hochachtungsvoll, der Direktor, P. Camenen.«

Über das genaue Datum und die Stunde meiner Flucht war der Direktor gut informiert; auch mein Ziel war ihm bekannt. Ich brauchte nur noch das Weite zu suchen.

Wie frei und glücklich fühlte ich mich, als ich an jenem 4. Juni, am späten Nachmittag, mit meinem Rucksack die Rue de la Montagne-Sainte-Geneviève hinuntereilte! Das große Abenteuer begann.

Eine halbe Stunde später auf der Gare de Lyon wäre es beinahe schon zu Ende gewesen: denn wie groß war nicht meine Bestürzung, als ich auf der Abfahrtstafel entdeckte, daß im Abstand von nur wenigen Minuten drei Züge auf sehr weit auseinanderliegenden Bahnsteigen nach Marseille abfuhren. Wo sollte ich also die Gruppe finden? Ich hatte Angst. Ins Gymnasium konnte ich nicht mehr zurück; jeden Augenblick würde man meine Flucht entdecken und mein

Abitur war auf jeden Fall ernstlich gefährdet. Was sollte ich also tun, da ich doch die Sammelstelle in Marseille nicht kannte, keinen Pfennig Geld in der Tasche und keine Fahrkarte hatte? Ich beschloß, mich erst auf jenem Bahnsteig aufzustellen, wo der erste Zug abfuhr, der Zug um 17 Uhr 50, dann zum nächsten zu laufen und notfalls auch noch zum dritten. Auf dem zweiten Bahnsteig erkannte ich ein Mitglied der Gruppe.

Im Morgengrauen des 11. Juni brach eine lange Kolonne von Lastwagen auf. Ziel: Port-de-Bouc. Wir kamen am Quai an. Unser Schiff war eines jener *Liberty Ships,* die in den letzten Kriegsjahren die alliierten Truppen transportiert hatten. Wir entzifferten den Namen: *Altalena.* Diejenigen unter uns, die mit der Geschichte des Zionismus vertraut waren, erkannten hier den Schriftstellernamen von Zeev Jabotinsky, dem Gründer unserer Bewegung; für die meisten von uns – und auch ich gehörte dazu – war dies nur ein klangvoller Name.

Dutzende von Kisten stapelten sich auf dem Kai; Waffen und Munition jeder Größe und jeden Kalibers. Die zumeist marokkanischen Dockarbeiter weigerten sich, das Schiff zu beladen; sie ahnten, daß dieses Schiff, das unter der Flagge Panamas fuhr, für den jüdischen Staat in See stechen würde. Wen kümmerte das schon! Militärlaster trafen ein: Die französische Armee belud das Schiff mit unserer Hilfe. Dann ging eine nationale Gruppe nach der anderen an Bord. Noch eine kurze Wartezeit und dann aufheulende Sirenen, wogendes Wasser, das rhythmische Erbeben der Decks, die Bewegung der offenen See.

Am Abend vorher hatte ich an Madame M. de L. und ihren Mann geschrieben:

»Lieber Pate, liebe Patin, es tut mir leid, daß ich Ihnen heute eine so große Überraschung bereiten muß, doch wenn Sie diesen Brief gelesen haben, werden Sie verstehen, daß ich vorher nichts sagen konnte.

Wenn Sie diese Zeilen in Händen halten, habe ich Frankreich schon verlassen und bin auf dem Weg nach Palästina. Ich verstehe Ihr Erstaunen. Wer hätte das erwartet? Ich selbst vor einiger Zeit noch ganz gewiß nicht; doch die letzten Ereignisse haben in meiner Seele etwas geweckt, das dort seit langem schlief, das Gefühl, Jude zu sein. Und das will ich im Kampf Seite an Seite mit all jenen Juden beweisen, die in Palästina sterben ...«

3

Als die *Altalena* Port-de-Bouc verläßt, tritt gerade der erste Waffenstillstand im israelisch-arabischen Krieg in Kraft. Der Transport von Nachschub ist nunmehr illegal. Die Abfahrt des Schiffes ist also ein riskantes Unternehmen des Irgun-Kommandos in Europa. Die Organisation in Israel akzeptiert den vollendeten Tatbestand, und mit wachsender Erregung wird die Ankunft des Schiffes und seiner Ladung erwartet. Für die provisorische Regierung von David Ben Gurion dagegen ist dies ein Akt der Herausforderung, eine Provokation, und vielleicht – wer weiß? – bahnt sich hier die bewaffnete Abspaltung der radikalsten Gruppen des Landes an. Das muß verhindert werden. Während wir also noch auf der Höhe von Rhodos sind, bezieht eine ganze Brigade bei Kfar Vitkin in den Dünen Stellung, wohin ich mich bald flüchten sollte, um dort Fromentin zu lesen; der Befehl lautete, das Schiff zu erobern, notfalls mit Gewalt.

Die geheimen Zusammenkünfte, die wir belauschen, Worte, die wir hier und da mit den Offizieren wechseln, der ungenaue Wortlaut der täglichen Kommuniqués rufen in uns allen ein ungutes Gefühl hervor, doch niemand sieht das Drama voraus, das sich dann abspielen wird. Berauscht vom Meer, den Kopf voller Träume, verbringen wir die ersten Reisetage auf Deck; trotz der drückenden Hitze diskutieren wir unermüdlich in diesem dunstigen Licht der Junihitze.

Unter den 940 Passagieren war ich der Benjamin. Ich gewann Freunde. Jim, der eine, war Amerikaner; der andere, Ray hieß er wohl, Engländer. Jim hatte im Pazifik gekämpft und Ray mit der 7. Division der Luftlandetruppen in Arnheim. Zwei Nichtjuden, die für die Wiedergeburt Israels kämpften.

Für Jim war ich »der Professor«, für Ray »der kleine Professor«... Beide gehörten sie zur Gruppe der Veteranen, die das Schiff verteidigten, als es Kfar Vitkin wieder verlassen hatte und Kurs auf Tel Aviv nahm. Dort, so erzählte man mir später, wurde Jim getötet. Einer unserer zwanzig Toten. Eine Kanone hatte das Schiff in Brand gesteckt, und auch als die Männer ins Meer sprangen und zur Küste schwammen, wurde das Feuer nicht eingestellt. So wurde die *Altalena* zerstört.

Von der Meerpromenade konnten die Einwohner von Tel Aviv noch monatelang den verkohlten Schiffsrumpf betrachten; den Schwimmern diente er als Platz zum Ausruhen und als Sprungturm. Wer richtig darin herumstöberte, der konnte vielleicht noch ein geschwärztes Gewehr im Laderaum entdecken und als Souvenir nach Hause tragen. Später dann wurde das Wrack wohl versenkt oder als Schrott verkauft, während links und rechts der Straße nach Jerusalem ausgebrannte Lastwagen zu Denkmälern der Erinnerung wurden...

27. Dezember 1977

Weihnachten ist unbemerkt vorübergegangen; nur einige Minuten lang habe ich die Mitternachtsmesse aus der Geburtskirche im Fernsehen verfolgt, kaum sind mir die früheren Weihnachtsfeste in den Sinn gekommen.

Dieser Bericht nähert sich seinem Ende, und noch einmal drängt sich die Frage auf: Ist es mir gelungen, auch nur einen Bruchteil dessen zu sagen, was ich eigentlich ausdrükken wollte? In Wirklichkeit ist diese Suche, diese stetige Konfrontation mit der Vergangenheit im Laufe der Monate selbst ein ausreichender Grund und eine notwendige Aufgabe geworden. Und die Worte Gustav Meyrinks tauchen wieder auf: »Allmählich, wenn das Wissen kommt, kommt die Erinnerung . . .« Jedoch nunmehr in umgekehrter Reihenfolge: »Allmählich, wenn die Erinnerung kommt, kommt auch das Wissen . . . Wissen und Erinnerung sind dasselbe . . .«

Bleiben noch die Probleme um uns herum, die Probleme dieses Landes. Diese Seiten enden zu einem Zeitpunkt größter Ungewißheit. Zwar bahnt sich zum ersten Mal für uns die Möglichkeit zum Frieden an, doch nichts ist sicher. Zwar scheint zum ersten Mal ein Weg aus dem Tunnel hinauszuführen, doch einige halten das in der Ferne erkennbare Licht für ein gefährliches Trugbild.

Seit einigen Tagen hat die Euphorie nachgelassen und hat immer stärker einer gedrückten Stimmung Platz gemacht. Mehr als einmal habe ich mich in letzter Zeit gefragt, ob wir nicht dabei sind, eine vielleicht einzigartige Chance zu verpassen. Auf diesen Seiten habe ich es möglichst vermieden, rein politische Überlegungen anzustellen, und vielmehr versucht, das Wesentliche darzulegen, ohne es mit den verschlungenen Wegen des Zufälligen und Vergänglichen zu vermischen. Nichtsdestoweniger sind es heute politische Entscheidungen, die über unser Leben und unser aller Zukunft entscheiden. Wenn wir eines Tages wieder zu den Waffen greifen müssen – nicht mehr, um das zu verteidigen, was um jeden Preis verteidigt werden muß, sondern weil wir es zum richtigen Zeitpunkt nicht verstanden haben, den Kompromiß zu akzeptieren –, dann wird das, was heute nur zufällige Verknüpfung ist, zum eigentlichen Inhalt schwerster Konflikte, zum eigentlichen Inhalt einer Tragödie geworden sein.

Doch lassen wir diese Reflexionen über die unmittelbare Zukunft einmal beiseite, so erhält die momentane Ungewißheit einen anderen Sinn und eine andere Dimension.

Stets war unser Leben auf dieser Welt von Ungewißheit geprägt, und in vieler Hinsicht hat dies im Guten wie im Bösen uns zu dem gemacht, was wir heute sind. Wenn ich manchmal an unsere Geschichte denke – nicht die Geschichte dieser letzten Jahre, sondern an ihren gesamten Verlauf – sehe ich durch die Jahrhunderte hindurch ein ewiges Kommen und Gehen, ein stets wieder in Frage gestelltes Streben nach Verwurzelung, Normalisierung, Sicherheit, und ich sage mir, daß auch der jüdische Staat vielleicht nur eine Etappe auf dem Weg eines Vokes ist, dessen besonderes Schicksal die unaufhörliche, immer wieder unterbrochene, immer wieder neu begonnene Suche der ganzen Menschheit symbolisiert.

Viel Zeit verbrachten wir träumend und diskutierend an Deck, doch hatten wir auch andere Aufgaben: Dazu gehörten die gewöhnlichsten Arbeiten wie Kartoffelschälen, Geschirrspülen, auch halbmilitärische Übungen, und vor allem hockten wir Stunden in den Laderäumen, die eher Dampfbädern glichen, wo wir, Galeerensklaven gleich, mit nacktem Oberkörper, doch von grenzenloser Begeisterung beseelt, Waffen und Munition instandhielten. Ich hatte mich auf die Patronengurte der Maschinengewehrmarke »Spandau« spezialisiert: neun normale Patronen, dazu eine Leuchtspurpatrone. . . . Tausende drückte ich so in die Patronengürtel, und ich gebe zu, daß es mir Spaß machte, mit dieser Munition und diesen Waffen zu hantieren.

In Prag hatte man ein Jagdflugzeug, das eindrucksvoll mit Tarnfarbe gestrichen war, in einem Park (oder war es ein Platz?) aufgestellt, und stundenlang standen wir Schlange, um es von nahem zu betrachten oder – Gipfel der Glückseligkeit – in der Führerkabine Platz zu nehmen, als wäre man der Pilot selbst. Diese erste Begegnung mit einer Kriegsmaschine fand im Sommer 1938 statt. Später dann, im

Mai 1940, konnten wir Raupenfahrzeuge inspizieren, als eine an die Front ziehende Kolonne haltmachte. Die Besatzungen der Panzer hatten eine kurze Ruhepause eingelegt, um schnell einen Schluck zu trinken und eine Zigarette zu rauchen. Wir Kinder schnupperten an dem stark riechenden Leder, fuhren mit der Hand über die Verschlüsse der Maschinengewehre, träumten von Schlachten, von siegreichen Schlachten ...

Und in Néris hatte ich ja mein imaginäres Maschinengewehr auf dem Dach. Wie würde der Kampf diesmal ausgehen?

Eines Nachmittags wurde Alarm geschlagen. Das Schiff drehte sich immer schneller im Kreis, und immer schneller drehte sich auch die schon tiefstehende Sonne um das Schiff. Ein Boot mit einigen Männern wurde herabgelassen, die mit Raketenwerfern und Sprengladungen ausgerüstet waren. Ein U-Boot – wahrscheinlich ägyptischer Herkunft – war in der Nähe geortet worden. Seit Beginn der Reise hatten wir einen derartigen Angriff befürchtet. Die Augen der Briten, der Araber, ja auch unserer Armee waren auf die *Altalena* gerichtet; die Gelegenheit war günstig ...

Die Rettungsboote konnten knapp vierhundert Mann aufnehmen. Es blieb mir nur die Hoffnung, daß man auf diesem »kleinen Schiff« den Jüngsten nicht opfern würde ... Bald jedoch legte sich die Aufregung, und Ruhe und Ordnung kehrten zurück: Es war blinder Alarm gewesen. Und, um ungehindert das Ziel zu erreichen, mußte man künftig – so dachte man – nur den Patrouillen aus dem Weg gehen, die über die Einhaltung des Waffenstillstandes wachten.

In meinem Rucksack hatte ich die Anzüge meines Vaters und seine Lederjacke; am Handgelenk das kostbarste Andenken, eine Uhr aus Schaffhausen.

In Néris hatte ich mich am Sonntagmorgen manchmal zu meinem Vater ans Bett gesetzt, ehe er aufstand. Er nahm die Uhr vom Nachttisch und hielt sie lange ans Ohr, dann zog er sie langsam, ja fast feierlich auf. Noch einmal lauschte er nun dem leisen Ticken, und jetzt erst – im zufriedenen Bewußtsein, das gewohnte Ritual erfüllt zu haben – band er die Uhr ums Handgelenk.

Manchmal gingen wir zum Pilzesammeln in den Wald von Commentry. In seinem grünen Mantel schritt mein Vater sehr aufrecht voran und schob dabei mit seinem Stock die Zweige beiseite. Manchmal bückte er sich, suchte im Moos – und wirklich entdeckten wir da Pfifferlinge oder Steinpilze am Fuß eines Baumes. In regelmäßigen Abständen streifte er mit der freien Hand den Ärmel des Mantels zurück, sah auf die Uhr, hielt sie ans Ohr, und weiter ging es.

Als mein Vater damals im Krankenhaus von Montluçon nach Saint-Béranger telefoniert hatte, damit man mich abholte, und als er dann wieder zu meiner Mutter und mir zurückgekommen war, lief er nervös im Zimmer hin und her und, wohl ohne sich dessen bewußt zu sein, was er tat, sah er alle Augenblicke auf die Uhr, diese Uhr ... Ich habe niemals denjenigen getroffen, der sie mir zuschickte. Es war ein jüdischer Arzt aus Sens. Kurz nach dem Krieg schickte er die Uhr nach Saint-Béranger: Mein Vater und er waren in demselben Waggon eingesperrt gewesen, in jenem Zug, der sie von Drancy nach Osten brachte. Der Arzt hatte vor, zu fliehen; und mein Vater vertraute ihm daraufhin die Uhr an, mit der Bitte, sie mir zu geben. Der Arzt sprang aus dem Zug und verlor dabei beide Beine, die von den Rädern des Waggons abgetrennt wurden. Man fand ihn, und er überlebte. So gelangte die Uhr in meine Hände. Ich nahm sie niemals ab. Eines Morgens, als wir uns dem Ende unserer Reise näherten, stellte ich fest, daß sie nicht mehr da war. Während ich schlief, hatte einer meiner Reisegefährten das Armband gelöst. Ich suchte und fragte, doch umsonst. Es bestand für mich keinerlei Möglichkeit, diese Uhr wiederzufinden. So verschwand das teuerste Andenken aus meiner

Kindheit in dem Augenblick, als ich mich Israel näherte, am Anfang eines neuen Lebens. Was symbolisch die Zeit von einst angezeigt hatte, existierte nicht mehr: Symbolisch war alles ein Neubeginn.

An den zwei letzten Reisetagen durften wir nicht mehr auf Deck: die *Altalena* war nun ein friedliches panamaisches Frachtschiff. Wir manövrierten; in der Nacht des 20. Juni gelangten wir in Küstennähe, doch da ein amerikanisches Schiff in der Nähe gemeldet wurde, fuhren wir im Zickzack wieder auf offene See hinaus – wobei viele von uns unten im Laderaum seekrank wurden. Am nächsten Abend wendeten wir. Gegen vier Uhr früh durften wir hinauf.

Auf der Brücke war alle zwanzig oder dreißig Meter ein Maschinengewehr aufs Meer gerichtet: Längs der Reling waren Wachen aufgestellt. Begriff man, was geschehen würde, oder war dies nur eine ganz gewöhnliche Vorsichtsmaßnahme? Ich könnte es auch heute nicht sagen. Da war Jim hinter einem der Maschinengewehre. Er flüsterte mir zu: »He, Professor, wie geht's?« Doch in diesem Augenblick dachte ich weder an Jim noch an die anderen. Wie alle anderen wartete ich.

Nichts als das schwache Klatschen der Wellen war zu hören, und auch die Maschinen schienen nur gedämpft zu arbeiten; sanft glitt das Schiff der Küste zu. Manchmal unterbrach ein Husten die Stille. Dann wurde der Himmel vor uns immer blasser, und im ersten Morgenlicht zeichneten sich Dünenketten und Orangenhaine ab. Vor uns aus der Dunkelheit tauchte die Erde Israels auf.